Goud, juwelen en rum

Lees ook van Maaike Fluitsma:

Toby en Kat 4-ever

MAAIKE FLUITSMA

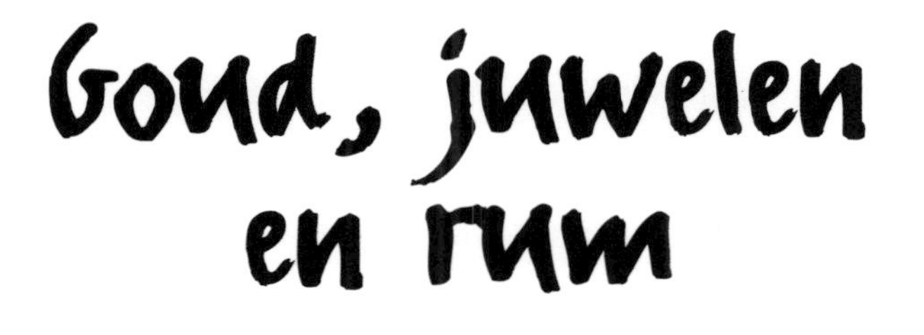

Goud, juwelen en rum

Tekeningen van
Harmen van Straaten

Uitgeverij Holland – Haarlem

Omslagtypografie: Ingrid Joustra

ISBN 90 251 1004 5 / 978 90251 1004 8

NUR 281 / 282

Het heksenwinkeltje

Het is fijn om piraat te zijn omdat... Nick kauwde op de achterkant van zijn pen en dacht na over het antwoord. Omdat je huis een schip is? Mmm, beetje slap. Omdat je kunt boeren en winden zonder dat je moeder er iets van zegt? Mmm... Ook niks. Hoe kon hij de slagzin nu het best afmaken? Het moest natuurlijk wel een beetje origineel zijn, anders won hij het nieuwste computerspel over piraten nooit. Hij dacht nog even na maar kon niets grappigs bedenken. Dan eerst maar eens kijken of hij antwoord op de gewone vraag kon geven.
Wat is de echte naam van Zwartbaard? Dat had hij ooit wel eens ergens gelezen. Hij sprong van zijn bed en opende de grote houten kist waar al zijn piratenspullen in opgeborgen lagen. Onder een stapel kleren trok hij het piratenboek tevoorschijn en bladerde er doorheen. *Edward Teach alias Zwartbaard, de meest gevreesde piraat ter wereld.* Dat was het. Snel schreef hij het antwoord op de kaart. Nu nog die slagzin.
Een kwartier later was de achterkant van zijn pen opgekauwd, lagen er bergen papier met slappe teksten op de grond en was de slagzin nog steeds niet ingevuld. Hij keek op zijn horloge. Als hij nog een kans wilde maken op de prijs moest hij de kaart nu op de bus doen. Morgen was de sluitingsdatum. Nog een keer goed nadenken. Waar dacht hij aan bij het woord piraat? Er moest toch iets zijn. Hij liep naar de kist, trok er een zakdoek uit die hij over zijn zwart krullende haar gooide en bond een ooglapje voor. Met een zwaard omhoog en een hand in zijn zij, ging hij voor de spiegel staan. 'Het is fijn om piraat te zijn...' riep hij tegen zijn spiegelbeeld. Hij zwiepte het zwaard een paar keer voorlangs. 'Omdat...?' Tja... Hij liet het zwaard

zakken. Waarom droomde hij er altijd van om piraat te worden? Natuurlijk! Het lag zo voor de hand dat hij het niet had gezien. 'Avontuur!' Dat was het woord waar hij naar zocht.
Nick grijnsde tegen zichzelf. Het zwaard ging omhoog en met de punt prikte hij tegen de spiegel in zijn buik. 'Ahrg...' riep hij. Langzaam viel hij op de grond en deed alsof hij doodging. Een acteur zou het niet beter kunnen. Hij wierp het zwaard in de kist en trok het ooglapje af. Bij het woord piraat hoorde het woord avontuur. Schatten zoeken, de hele wereld overvaren, af en toe een schip veroveren. Enthousiast zette hij zijn pen op de kaart en begon te schrijven.
Het is fijn om piraat te zijn omdat je dan spannende avonturen beleeft. Hij las de zin nog een keer hardop na. Lekker origineel! Hoe had hij dat nu kunnen verzinnen? Nou ja, nu stond het er al en beter iets dan niets. Misschien viel het daardoor juist wel op.
Met de kaart in zijn hand rende hij naar beneden. 'Mam, heb je een postzegel voor me? Ik moet deze prijsvraag vandaag nog op de bus doen.'
Zijn moeder liep naar het bureautje in de kamer en haalde er een postzegel vandaan. 'Blijf je niet te lang weg? We gaan over een uurtje eten.'
'Is goed,' riep Nick. Hij liep de deur uit en hield de kaart stevig in zijn hand. Wat zou het leuk zijn als hij dat computerspel won. Dan kon hij vechten op een mooi piratenschip en schatten zoeken op onbewoonde eilanden. Hoe meer je er vond hoe meer dukaten je kreeg. Het spel dat hij nu had was behoorlijk kinderachtig geworden. Een nieuwe kon hij goed gebruiken. Bij de brievenbus keek hij

in welke gleuf de kaart moest en duwde hem erdoorheen.
Hij wilde net teruglopen toen hij zich bedacht. Zou hij nog even naar het winkeltje gaan waar die jongen bij hem op school dat mooie piratenschip had gezien? Hij keek op zijn horloge. Het was wel een eind weg maar als hij rende, kon hij het nog halen.

Hijgend schoof hij de mouw van zijn jas iets omhoog zodat zijn horloge tevoorschijn kwam. Half zes. Hij stond naast het raam van een klein winkeltje dat paars en zwart beschilderd was. *Wicca* stond er met lila letters op. Hij gluurde naar binnen. Volgens die jongen van school was het van een heks. Onzin! Heksen bestonden niet eens.
De etalage stond vol oude boeken en vreemde voorwerpen. Helemaal rechts achterin stond een paar afgetrapte bruine schoenen. Ze hadden een grote ronde neus, dikke zwarte veters en een stevige rubberen zool. In de neus van de linkerschoen zat een groot gapend gat. Hij grinnikte. Wie wilde die nu kopen? Vervolgens keek hij naar het houten schip aan de andere kant van de etalage. Wow, drie masten! Hij stapte een stukje opzij om het nog beter te kunnen zien. Deze zag eruit als het schip van kapitein Zwartbaard. Eronder lag een kaartje met 'te koop'. Nick drukte zijn neus tegen het raam. Jammer dat er geen prijs bij stond. Dat schip kostte waarschijnlijk veel meer dan hij in zijn spaarpot had maar... hij kon het natuurlijk altijd proberen. Hij draaide zich om en duwde tegen de deur van het winkeltje.
Een belletje klingelde. Mmm, lekker rook het hier. Een beetje zoetig. Achter in de zaak flikkerde een vuur in de open haard. Overal brandden kaarsjes in fel gekleurde glazen potjes en aan het plafond hingen glimmende gekleurde ballen. In de open kast aan de rechterzijde stonden potten met verschillende kruiden.
Een vrouw kwam uit de kelder naar boven. De rokken van haar groene jurk wapperden achter haar aan. 'Kan Lula je helpen?' vroeg ze vriendelijk. Ze hield haar hoofd een beetje schuin. Tientallen gekleurde knopjes langs haar oorschelpen vuurden kleine vonkjes af toen ze het licht van de kaarsen opvingen.

'Lula?' vroeg Nick.
'Dat ben ik,' zei de vrouw. De gouden armbanden rinkelden toen ze haar lange rode haar naar achteren wierp.
'Dat schip in de etalage...' vroeg Nick.
'Prachtig hè!' Lula keek hem stralend aan.
Nick knikte enthousiast. Wat nou heks. Ze was best aardig. 'Hoe duur is het?' vroeg hij.
Lula schudde haar hoofd. 'Het is niet te koop.'
'Jawel hoor. Er ligt een kaartje onder waarop staat dat het te koop is.'
Ze hield haar hoofd schuin en kneep haar ogen een beetje samen. Met haar linkerhand streek ze glimlachend over de grote zachtroze parel aan haar ketting.
'Echt waar!' zei Nick. 'Ga maar kijken.'
Samen liepen ze naar de etalage.
'Ochheremedietjes!' riep Lula. Ze boog zich voorover. 'Ik zie het al. Het kaartje is eronder geschoven. Daardoor miste je het woordje *niet*.' Ze trok het onder het schip vandaan en liet het aan hem zien.
Teleurgesteld keek Nick ernaar.
'Is het zo erg?' vroeg Lula. Ze wapperde afwezig met het kaartje in haar handen.
'Ik had het willen kopen. Als het niet te duur is tenminste. Ik weet alles van piraten.'
'Je lijkt er zelfs op,' grinnikte Lula. 'Die droegen ook zulke zakdoeken.'
'Wat?' Nick greep naar zijn hoofd. Had hij zo over straat gerend?
'Staat je hartstikke goed,' riep Lula. 'Weet je wat?' Ze legde het kaartje terug bij het schip in de etalage. 'Ik maak een lekker kopje warme chocolademelk voor je. Dan kunnen we er nog eens over praten.'
'Ik weet niet...' aarzelde hij. Een beetje vreemd was ze wel. In welke winkel kreeg je nou zomaar chocolademelk?
'Doe nu maar.' Ze duwde hem zachtjes richting het vuur. 'Je had zeker door dat het een kopie van het schip van Zwartbaard is,' fluisterde ze.
'Ja, die gevaarlijke idioot,' antwoordde Nick.

'Kom, kom. Zo erg was hij nu ook weer niet.'
'Niet!' riep hij. 'Die gek schoot zelfs op zijn eigen stuurman.'
'Soms moet je wel eens iets doen wat niet zo aardig is,' mompelde Lula. Ze duwde hem in een luie stoel. 'Niet weglopen. Ik ben zo terug.'
Nick keek haar na toen ze naar achteren liep en trok zijn jas uit. Ach, wat maakte het ook uit. Als hij straks wat harder rende, kon hij best nog even blijven. Wie weet lukte het hem om haar over te halen het schip toch te verkopen. Zo'n mooie had hij nog nooit gezien.
Op het tafeltje voor hem lag een oud dik boek opengeslagen bij bladzijde 198. Hij boog voorover en gleed met zijn vingers over het broze papier. Op de linkerzijde stond een man met een woeste, zwarte baard afgebeeld. Hij lachte vals. Aan zijn zwarte hoed hingen twee smeulende lonten. Nick tikte op de tekening. Dat was Zwartbaard, zonder twijfel. Hij sloeg het boek dicht en bekeek de voorzijde. *Piratenverhalen uit 1700* stond erop. Eronder was een houten schip met grote zeilen getekend. In de mast wapperde een zwarte vlag met daarop een duivelachtig geraamte geschilderd. In zijn linkerhand hield het geraamte een pijl vast dat naar een vuurrood hart wees. In zijn rechterhand een zandloper. Precies het schip uit de etalage.
Nick bladerde door het boek. Er stonden allemaal verhalen in over zeegevechten en veroverde schatten. Hij sloeg bladzijde 198 weer open en trok het boek op schoot. Dit verhaal ging over de laatste reis van Zwartbaard in 1718. Nieuwsgierig begon hij te lezen...

De achteruitloopschoenen

'Ah, ik zie dat je het grote piratenboek hebt gevonden.' Lula zette de dampende chocolademelk neer. 'Dat waren nog eens tijden. Ik heb me altijd afgevraagd waar die schatten allemaal gebleven zijn.'
'Zijn ze nooit gevonden?' vroeg Nick. Hij pakte een koekje aan dat Lula hem toestak.
Lula schudde haar hoofd. 'Een gedeelte maar. De meeste piraten gingen dood voordat ze konden genieten van hun gestolen spullen.'
'Maar hier staan allemaal tekeningen waar de schatten verborgen zijn,' zei Nick. 'Daar heeft toch zeker wel eens iemand naar gezocht?' Hij nam een hapje van zijn koekje. Jak! Het prikte op zijn tong en smaakte bitter.
'Jawel,' antwoordde Lula. 'Maar ik stel me zo voor dat er toch nog wel het één en ander begraven ligt waar niemand iets van afweet.' Ze gniffelde en gooide wat hout op het vuur. De vlammen laaiden op. 'Er is in elk geval nog steeds een gedeelte zoek van wat Zwartbaard op zijn allerlaatste reis veroverd heeft.'
'Als dat nu nog niet gevonden is, zal het wel nooit meer gebeuren ook,' antwoordde Nick.
'Misschien niet.' Lula staarde in de verte. 'Tenzij...' Ze schudde haar hoofd.
'Tenzij wat?' vroeg Nick. Zijn handen gleden over de bladzijden.
'Tenzij je terug in de tijd kon gaan.' Ze zette haar beker met een klap op tafel.
'Als dat zo was, zou ik al onderweg zijn,' riep Nick lachend. Hij keek tussen zijn vingers door naar de tekening van het prachtige schip. 'Gaaf, op zo'n schip.'
'Meen je dat?'

Hij keek op van het boek. 'Wat?'
'Dat je terug in de tijd zou willen gaan om de schatten te zoeken.'
'Natuurlijk!' zei hij stoer.
Lula keek hem peinzend aan en stond plotseling op. Snel liep ze de winkel door naar de deur en draaide het bordje *gesloten* naar de buitenzijde toe. Daarna liet ze een zwart rolgordijn zakken.
Nick keek op zijn horloge. Oeps! Kwart voor zes. De winkel ging dicht en hij moest nodig naar huis. Hij pakte zijn chocolademelk en nam net een grote slok toen Lula terugkwam. In haar handen hield ze de oude schoenen uit de etalage. Hij grinnikte.
'Sst,' fluisterde ze. Haar groene ogen vernauwden zich tot spleetjes. 'Anders verbreek je de magie. Je wilde toch terug in de tijd?'
'Eh... ja.'
'Pak aan dan!' Ze duwde de schoenen in zijn handen en ging tegenover hem zitten. 'Dit zijn achter-uit-loop-schoenen,' fluisterde ze.
Nick kon er niets aan doen maar schoot hard in de lach.
'Sssst,' siste ze. Haar ogen vonkten en haar wenkbrauwen trokken zich samen tot één streep. 'Deze schoenen brengen je terug in de tijd,' fluisterde ze. 'Waar en wanneer je maar wilt.'
Hij zette de schoenen voor zich op de grond. Ja, ja, vast.
Ze boog zich voorover. 'Dit is je kans om een schat te vinden. Zoek een verhaal uit het boek en de schoenen brengen je er naartoe.'
Nick keek haar onderzoekend aan en kreeg het ineens bloedheet. Daarna schudde hij zijn hoofd. Hij leek wel niet wijs om haar te geloven. Maar toch... stel je voor dat het echt zo was en hij kreeg de kans om op zo'n piratenschip te kijken. Zou hij dat dan doen?
'Geloof je me soms niet?' vroeg Lula.
'J...jawel,' stamelde Nick. Snel sloeg hij het boek open. Bladzijde 198. Het verhaal dat hij zojuist had gelezen.
'Mooie keuze,' mompelde Lula. 'Maar niet geheel ongevaarlijk.'
'Moet ik iets anders kiezen?'
'Nee, nee,' riep ze gehaast. 'Deze is prima!' Ze schoof de schoenen vlug naar hem toe. 'Eerst de linker en dan pas de rechter.'
Nou ja, even dan, dacht Nick. Om haar een plezier te doen. Nadat hij zijn eigen schoenen had uitgetrokken, hees hij zijn linkersok op

en stapte in de schoen. Zie je wel! Veel te groot. Ook al trok hij de veters strak aan, dan nog zou zijn voet er bij de eerste de beste stap uitvliegen. Toen hij een knoop in de veter legde, greep Lula hem bij zijn schouder vast.
'Als het te gevaarlijk wordt, geef de schoenen dan opdracht weer terug te gaan.'
Nick knikte en schudde zijn schouder los. Zodra hij buiten stond ging hij naar huis. Dat leek hem veel beter. Ze was dan misschien geen heks, helemaal jofel was ze ook niet. Hij stapte in de rechterschoen en knoopte de veter vast. Toen hij beide schoenen aanhad, kwam hij uit de stoel overeind en wankelde even. Hij wist nu precies hoe Klein Duimpje zich gevoeld moest hebben in de zevenmijlslaarzen.
Lula pakte zijn gezicht vast. 'Wat er ook gebeurt...' zei ze. 'Trek de schoenen nooit uit.'
'Is goed!' Hij trok zijn hoofd uit haar handen.
'Als je terug wilt, hoef je alleen maar "Wicca heden" te roepen.'
'Wat?'
'Wicca, heden. Dan kom je weer terug in het hier en nu,' legde Lula uit. 'Houd er ook rekening mee dat ze alleen maar lopen vanaf het vasteland. Op een schip werken ze niet.'
'Ja, ja, ja,' zei Nick ongeduldig. Alsof hij met deze schoenen op een schip zou komen.
'En je kunt geen personen en niks van waarde mee terugnemen uit de andere tijd. Dan werken ze ook niet.'
Nick zuchtte. Ze wist niet van ophouden. Hij ging naar huis en morgen bracht hij haar schoenen wel weer terug. Hij tilde een voet op om weg te lopen.
'Stop!' riep Lula.
Hij viel bijna voorover.
'Je moet wel de locatie noemen waar je heen wilt.'
Nick rolde met zijn ogen. '1718, Noord-Amerika, het schip van Kapitein Zwartbaard,' dreunde hij op. Hij tilde zijn been op maar voor hij een stap kon zetten, werd zijn voet teruggeduwd en draaiden de schoenen zich met een ruk om. Hij keek nu weer naar de stoel

waaruit hij zojuist was opgestaan. 'Wat...?' prevelde hij.
'Zie je wel,' riep Lula. Opgewonden klapte ze in haar handen.
Krakend en stijf namen de schoenen hem mee. Achteruit. Eerst aarzelend. Stap voor stap. Nick graaide met zijn handen om zich heen in de hoop zich aan iets vast te kunnen grijpen. Er was alleen maar lucht. 'Help!' gilde hij. Hij probeerde de schoenen tegen te werken maar niks lukte. De deur van de winkel draaide open en hij stond op straat. Even leken de schoenen te twijfelen waar ze heen moesten. Toen draaiden ze een kwartslag en begonnen opnieuw te lopen. Steeds sneller en sneller. Het leek wel of zijn voeten de grond niet meer raakten. Bomen, mensen, gebouwen en auto's. Alles flitste langs hem heen. Dan was het donker dan weer licht. De wereld ging als een streep aan hem voorbij. Dag en nacht wisselden zich in een hoog tempo af. Hij leek wel een tol die niet meer tot stilstand kon komen. Kleuren vervaagden tot een witte streep. Het voelde alsof zijn benen, armen en hoofd los van elkaar draaiden en slingerden. Hij probeerde ze stil te houden om het draaien te stoppen maar het lukte niet. Geluiden gleden langs hem heen als muziek die veel te langzaam werd afgespeeld. Hij was zo misselijk dat hij wilde overgeven. Zelfs dat lukte niet.
Maar toen werd het rustiger. Het tollen werd minder, de kleuren kwamen terug en hij kon de omgeving weer onderscheiden. Het was dag. De zon scheen. Bij een haven stopten de schoenen eindelijk met lopen.
Wankel liet hij zich als een slappe pop tegen een rotsblok vallen. Zijn hoofd tolde nog alsof hij net uit een centrifuge kwam en zijn borstkas vloog op en neer. Het enige wat hij kon doen was naar adem happen. Als een vis die op het droge lag. Pas toen de warmte van de steen door zijn handen en zijn broek trok werd hij iets rustiger. Langzaam kwamen de beelden van het winkeltje terug. Het boek, de schoenen... Wat was er gebeurd?
Hijgend keek hij rond en zag een enorm houten schip met drie masten in de haven liggen. *De wraak van koningin Anna* stond er op de zijkant.
In de top van de mast hing een zwarte vlag met daarop een duivel-

achtig geraamte. In zijn linkerhand hield hij een pijl vast die naar een vuurrood hart wees. In zijn rechterhand een zandloper. Nick gleed van schrik bijna van het rotsblok en hield zijn adem in. Had Lula soms iets vreemds in de chocolademelk gedaan waardoor hij dingen zag die niet echt waren? Hallucineren of zo. Dat deed je ook als je heel hoge koorts had. Alles leek dan ver weg en enorm groot terwijl het in werkelijkheid dichtbij en normaal was. Alsof je in een ander soort wereld leefde. Had hij te lang naar de tekening gekeken? Of was het soms dat bittere koekje geweest? Opgelucht haalde hij weer adem. Dat was het. Hij schudde zijn hoofd. Hoe had hij ook maar even kunnen denken dat hij terug in de tijd was. Hij moest gewoon zijn ogen sluiten, diep ademhalen, even wachten en ze openen. Dan zat hij weer gewoon in dat vreemde winkeltje met het piratenboek op schoot waarin een tekening te zien was van het schip *De wraak van koningin Anna*. Een ding wist hij zeker. Nooit zou hij meer een koekje of chocolademelk van Lula aannemen. Gerustgesteld deed hij zijn ogen dicht en ademde diep in... en uit...

Pets! Nicks ogen schoten open toen hij een draai om zijn oren kreeg.

'Hé lamstraal, ga eens wat doen!' Een man met lang bruin haar en een geknoopte doek op zijn hoofd keek hem woest aan. Zijn hand zweefde door de lucht, klaar om Nick een nieuwe tik te geven. 'Zwartbaard houdt niet van luiwammesen.'

'I... ik...,' stamelde Nick. Verward keek hij naar de man. Hij droeg een slobberige kniebroek met rafels. Daaronder een paar harige kuiten en zijn gore voeten waren in een paar open leren sandalen gestoken. Zijn smoezelige wijde overhemd zat vol scheuren en gaten en werd met een leren riem bij elkaar gehouden. Achter de riem stak een korte sabel met een scherpe punt.

De man keek hem ineens nog kwader aan. Zijn gouden oorring flonkerde in het zonlicht toen hij zijn hoofd dreigend ophief. 'Of ben je soms een verstekeling. Je weet wat de kapitein daarmee doet!'

Nick kon de man alleen maar met grote ogen aankijken.

'Kielhalen,' bulderde de man.

Nick kromp ineen. 'Nee, nee,' antwoordde hij snel. 'Ik ben geen verstekeling.'

Met één hand sjorde de man hem van het rotsblok af en hield hem vast. 'Meekomen dan,' gromde hij. 'We zullen je flink aanpakken. Anders word je nooit een echte piraat.'
De hand van de man rustte zwaar op zijn schouder. Weg! Hij moest hier weg! Hij keek naar zijn schoenen. Wat moest hij ook weer zeggen? Het had iets met het winkeltje te maken en het hier en nu.
'Wicca, hier en nu,' fluisterde hij. Er gebeurde niets. Een ander woord voor hier en nu. Heden? Was dat het soms? 'Wicca, heden,' riep Nick. Weer gebeurde er niets.
De man draaide hem naar zich toe. 'Wat raaskal je nou?' vroeg hij.
Smekend keek Nick naar zijn schoenen. 'Wicca, heden!' riep hij opnieuw. Maar hij bleef waar hij was en de man verstevigde zijn greep.
'Werken, en wel meteen zul je bedoelen,' gromde de man. Hij trok Nick mee naar drie onguur uitziende mannen die naast een aantal houten tonnen op de kade stonden. Ook zij waren gekleed in kniebroeken en overhemden. De rechter man had zelfs een houten been.
'Heiho, Jim. Heb je die nieuwe eindelijk gevonden?' vroeg één van hen.
Nick stikte zowat. Nieuwe? Dachten ze dat hij een nieuwe piraat was?
Jim tilde hem op en zette hem met een zwaai voor zich neer op een ton. 'Hij moet nog heel wat leren.'
'Alleen die kleren al,' brulde een andere piraat. 'Kanonskogels nog an toe, dat ziet er toch niet uit!' Grommend trok hij zijn zwaard tussen zijn broeksband vandaan. Nick wilde van de ton afspringen, maar de zware handen van Jim hielden hem op zijn plek. Het zwaard zwaaide omhoog en kwam recht op Nick af. Hij kneep zijn ogen stijf dicht en hield zijn adem in.
Twee keer zwiepte het zwaard langs zijn oren. Pas toen de mannen lachten, durfde hij weer te kijken. Zijn nieuwe spijkerbroek was veranderd in een kniebroek met rafelige punten en zijn dunne witte benen leken te verdrinken in de schoenen. Voor hij er erg in had, zwiepte het zwaard nog een paar keer met korte halen voor hem langs. Vol ongeloof keek hij naar de nieuwe gaten in zijn shirt en

broek. Geen spatje bloed te zien. Leefde hij nog wel?
'En nou werken,' bromde Jim en hij gaf hem een trap onder zijn achterste. Nick struikelde van de kist af en schaafde zijn knie.
'Hij is voor jou, Unlucky,' gromde Jim.
De man met de houten poot hinkstapte naar Nick, greep hem in zijn nek en trok hem met zich mee naar het schip. 'Ik heb een mooi klusje voor je om mee te beginnen,' gromde hij.

Ontmoeting met Zwartbaard

De borstel waarmee Nick de houten vloerdelen van het dek schrobde, kon hij nauwelijks meer vasthouden. Venijnig beet het zoute water in de kleine open wondjes van zijn rauwe handen. Unlucky had hem opdracht gegeven het dek nat te houden. Heel nat. Zo konden de planken niet krimpen in de brandende zon. Als dat niet werd gedaan zou het schip water kunnen maken tijdens het varen.

Nick veegde het zweet van zijn hoofd met het onderste stuk T-shirt en trok het daarna bij zijn nek iets omhoog. De zon scheen genadeloos op zijn naakte huid en zo te voelen had hij al een eerstegraadsverbranding te pakken. Zijn knieën deden zeer en voelden beurs. Kreunend liet hij zich op zijn achterste rollen en tuurde naar de kade waar nog steeds druk gewerkt werd. Grote vaten en tonnen werden met touwen aan boord gehesen en vervolgens naar het ruim gebracht.

Een kleine man op de loopplank bezweek haast onder het gewicht van een vat. Vlak voor hij het schip opliep, stapte hij naast de loopplank en verloor zijn evenwicht. Hij klapte voorover op het dek. Het vat gleed van zijn schouder, viel kapot en rode vloeistof verspreidde zich over de vloer.

'Wat denk je dat je aan het doen bent,' bulderde een stem. De kleine man krabbelde geschrokken overeind toen een enorme man met zwarte dreadlocks in zijn haar en baard op hem afkwam.

Nick hield zijn adem in. Zwartbaard! Waar kwam die ineens vandaan?

'Fouten tolereer ik niet,' schreeuwde Zwartbaard. Zijn hand vloog door de lucht en raakte de man vol op zijn oog.

De man klapte voorover. 'Ik deed het toch niet exp..rskgfeg!' De laatste letters rochelden uit zijn mond toen Zwartbaard hem met een hand rond zijn keel omhoog hees. Het volgende moment vloog hij met een boog door de lucht en verdween overboord in het water.
'Dat doen we met personeel dat dure wijn verspilt,' riep Zwartbaard hem over de reling na. 'En nu wegwezen!' Met een strakke blik keek hij naar de kade waar de meeste mannen gestopt waren met werken. 'Nog iemand die wil vertrekken?' riep hij. Binnen een tel was iedereen weer bezig.

'Dat dacht ik al,' gromde Zwartbaard. Hij draaide zich om richting kajuit maar voor hij een stap zette, merkte hij Nick op.
'Ken ik jou?' gromde hij.
Snel schudde Nick zijn hoofd en staarde naar de borstel in zijn hand. Hij kende hem niet en dat wilde hij graag zo houden. Wat een hork! Die kleine man struikelde gewoon. Dat kon iedereen overkomen. Hij...
'Zorg dat je je straks meldt,' gromde Zwartbaard.
Hij staarde Zwartbaard na toen hij met grote passen naar zijn kajuit wegliep.
Melden? Echt niet. Hij had er helemaal geen zin in om door die vent afgeblaft te worden. Waarom pikten al die anderen dat gebulder van hem trouwens? Als hij groter was geweest en in deze tijd had geleefd, had hij het heel anders aangepakt. Dan zou hij allang...
'Doorwerken luie landrot!' Unlucky's hoofd stak uit het luik van het schip. 'Je hebt het toch gehoord! Gewerkt moet er worden! Dat geldt ook voor jou!'
Nick schoot weer op zijn knieën. Au! Dat deed zeer. Boos wreef hij met zijn hand over de pijnlijke plek. Waar kwam die vent toch steeds vandaan? Telkens als hij even stopte met schrobben, floepte hij weer als een duveltje uit een doosje tevoorschijn. En dat met een houten poot!
Hij plensde opnieuw water op het dek. Met trage draaibewegingen gleed de borstel over het hout. Plank voor plank. Zijn armen deden zeer en door al dat water zagen zijn vingers eruit als dode wurmen. Zijn ogen volgden de cirkels die de borstel maakten. Langzaam verschoven zijn gedachten naar de schoenen. Waarom hadden ze niet gewerkt toen hij ze opdracht gaf om terug te gaan? Was de spreuk fout geweest? Hij probeerde zich het gesprek met Lula te herinneren. Stom van hem dat hij niet beter had geluisterd. Maar wist hij veel dat het echt zou zijn!
Hij pakte een met water doordrenkte doek uit de emmer en wrong hem boven het dek uit. Hij wist zeker dat het *Wicca heden* was, maar ook op het schip had hij het nog een paar keer geprobeerd en was er niets gebeurd. Plots liet hij de dweil uit zijn handen vallen en sprong

op. De schoenen werkten niet vanaf het schip! En natuurlijk ook niet vanaf het land als iemand je vast had, want je kon niks meenemen uit deze tijd. Snel keek hij om zich heen. Niemand schonk aandacht aan hem. Hij rende naar de reling en boog voorover. Begerig keek hij naar de kade. Zou hij ongemerkt van het schip af kunnen komen? Die piraten konden hem gestolen worden. Ze waren helemaal niet leuk. Maar wat het belangrijkste was... werkten de schoenen nog?
De loopplank was vol met mannen. Als hij nu eens net deed alsof hij ook spullen sjouwde? Hij ging weer rechtop staan en keek snel naar het luik. Niemand te zien. Nu! Hij rende naar de loopplank terwijl hij de kade in de gaten hield. *Boem!* Na tien stappen botste hij tegen iets groots en hards aan. Nick veerde terug en belandde op zijn billen. Een paar bruine leren laarzen stonden gespreid voor hem. De zilveren gespen met glimmende stenen glinsterden in het zonlicht. Daarboven een blauwe broek en een blauwe jas met daarover heen een paar leren banden. Ertussen zaten ontelbare sabels en pistolen gestoken. Nick slikte. Lange zwarte haren en een enorme baard die in vlechten was verdeeld. De grote donkere ogen waar hij in keek, voorspelden niet veel goeds.
'Waar gaan wij heen?' bulderde Zwartbaard. Met een hand zette hij Nick overeind.
'Ik eh...' piepte Nick. Hij keek naar zijn pols die opgesloten lag in de enorme vuist van de meest gevreesde piraat ter wereld. Een vuist die iemand doodde die niet wilde luisteren. Die iemand strafte die iets deed wat niet mocht. Hij opende zijn mond nog een keer. Er kwam geen geluid uit.
Zwartbaard kneep zijn ogen tot spleetjes en boog zich langzaam voorover. Nick voelde al het bloed uit zijn gezicht wegstromen. Zijn armen en benen werden losse aanhangsels van zijn lijf waar hij niets meer over te zeggen had. Het angstaanjagende hoofd, dat hij al zo vaak in boekjes had gezien, kwam steeds dichterbij en de uiteinden van de vlechtjes in de baard kriebelden als duizend pootjes over zijn gezicht. Toen draaiden zijn ogen weg en werd de wereld zwart.

Nick sloeg een hand weg toen een scherpe lucht in zijn neus doordrong. Voor hem wapperde Unlucky een doekje heen en weer met daarop een afgrijselijke lucht waarmee je zelfs een dode nog kon laten bewegen.

'Wat hebben we nou aan jou!' gromde hij. 'Je bent nog geen uur aan boord en valt nu al flauw. Dat soort slampampers kunnen we hier niet gebruiken. Je bent ontslagen!'

'Vermaledijde scheepskok!' bulderde een stem. 'Ík ben nog altijd degene die hier mensen ontslaat!' Zwartbaard trok Unlucky aan een oor weg. 'Nog zo'n opmerking en je volgende bestemming is een onbewoond eiland met als enige vrienden een kruik water en één kogel in je pistool.' Hij duwde hem een trap af. 'Je wordt gekort op je aandeel!'

Met grote stappen kwam hij terug.

'H...h...hij heeft gelijk,' stotterde Nick. 'I...i...ik denk niet dat ik geschikt ben om op een schip te werken.'

'Dat bepaal ik wel!' antwoordde Zwartbaard. Hij pakte Nick vast en bekeek hem aan alle kanten. 'Heel handig voor de kleine ruimtes,' mompelde hij. Hij stroopte de mouw van Nicks T-shirt omhoog en bevoelde zijn spierballen. 'Mmm....'
Aan de toon te horen begreep Nick dat ze niet veel indruk maakten.
Uiteindelijk sleepte Zwartbaard hem over het dek mee naar zijn kajuit en duwde hem op een houten stoel naast een tafel. Nick durfde alleen zijn ogen te bewegen en stopte zijn handen onder zijn benen om het trillen te verbergen.
Op de tafel lagen zeekaarten uitgespreid. Ernaast lagen een passer en kompas en er stond een scheepslantaarn met een kaars erin. Zwartbaard boog zich over de kaart. Nick knipperde met zijn ogen. Wat moest hij nu? Zijn kans om van boord af te gaan werd steeds kleiner. Zwartbaard leek hem te zijn vergeten. Maar hij wist zeker dat als hij nu de kamer uit wandelde, hij degene was die op een onbewoond eiland zou belanden met een kan water en een kogel. Wacht eens even? Dat zou in dit geval helemaal niet zo gek zijn! Dan was hij van het schip af en kon hij terug naar huis!
Voorzichtig stond hij op. Maar voor hij een stap kon zetten, lag er een hand in zijn nek. 'Heb ik gezegd dat je mocht gaan?'
Nick schudde zijn hoofd.
'Iedereen aan boord valt onder mijn gezag. En jij bent nu aan boord.'
Nick knikte.
'Of wil je soms gekielhaald worden zodat je hoofd eens goed gespoeld wordt en je in het vervolg beter kunt nadenken?'
Gekielhaald? Nick ging gelijk weer zitten. Wat was er gebeurd met dat onbewoonde eiland? Hij bestudeerde zijn schoenen. Kielhalen. Hij had wel eens gelezen dat je dan aan een touw in het water werd gegooid en onder het schip doorgetrokken werd. Hij kon zich niet herinneren of dat net zolang doorging tot je dood was of totdat je gehoorzaamde. Eigenlijk wilde hij dat ook helemaal niet weten. Hoe kwam hij nou van dat schip af?
Zijn ogen gleden door de ruimte. Aan de linkerkant stonden een

bed en een boekenkast. Aan de rechterkant een kast vol wapens. Sabels, dolken, messen en geweren.
'Die kleine rotlettertjes,' mopperde Zwartbaard naast hem. Hij trok zijn hoofd een stukje naar achter en wees met zijn vinger naar een woord. Hij boog zijn hoofd weer naar voren, draaide de kaart een paar keer rond en sloeg met zijn vuist op tafel. De lantaarn viel om. 'Waar is mijn vergrootglas,' schreeuwde hij boos.
Nick boog zich naar de kaart en las het woord. 'Okracoke,' fluisterde hij.
'Mm?' zei Zwartbaard geïrriteerd.
'Daar staat Okracoke,' zei Nick nu iets harder. Okracoke lag op een lange sliert eilanden voor de kust van een groot land. Hé! Dat grote land leek Amerika wel. Die lange punt die zich rechts beneden in het water uitstrekte was Florida. Dat wist hij zeker. Al een jaar lang probeerde hij zijn ouders over te halen om daar een keer naar toe te gaan op vakantie. Daar had je al die gave Disney-pretparken. Nick schudde de gedachten uit zijn hoofd. Hij had nu een veel groter probleem.
Zwartbaard keek hem achterdochtig aan.
Nick knikte. 'En daar staat Atlantische oceaan.' Hij wees met zijn vinger naar het midden van de kaart.
'Dat weet ik ook wel,' snauwde Zwartbaard. Het volgende moment pakte hij de handen van Nick vast en bekeek ze aan alle kanten. 'Geen zwaar werk gedaan.'
Nick schudde zijn hoofd.
'Maar je kunt wel lezen?'
'En rekenen en schrijven,' antwoordde Nick. Aan lezers, schrijvers en rekenaars had Zwartbaard vast niets. Die konden niet vechten. Dus als het meezat... Opgetogen keek hij naar Zwartbaard.
Die pulkte aan de vlechtjes in zijn baard. 'Nu weet ik het zeker,' zei hij. 'Jij blijft!'
Het klonk als een bevel.

Even later stond Nick zich te verbijten in de kombuis. Als hij zijn bijdehante waffel had gehouden, was er nog een kans geweest om van het schip te komen. Maar nee hoor! Hij moest zo nodig vertellen dat hij kon lezen, schrijven en rekenen. Om het te bewijzen had hij zijn eigen naam als nieuweling in een logboek moeten noteren. Samen met de datum van zijn aanmonstering en dat hij werkte onder Jim en Unlucky. Hij zuchtte diep. Onder het wakend oog van Unlucky kwam hij helemaal niet meer van het schip. Die was pisnijdig op hem.

Op het stenen fornuis pruttelde een pan met eten boven een vuurtje van houtblokken. Via een metalen schoorsteen verdween wel wat rook maar het meest bleef hangen in de kombuis. Het was er benauwd en het broeierig heet. Nick veegde het zweet van zijn voorhoofd.

Unlucky stond voor hem en was bezig met het eten. Hij had nog niks gezegd maar zijn blik zei genoeg. Zeker vijf minuten luisterde Nick nu al naar het nijdige gehak van het mes in de groenten. Het ging zo snel dat hij niet eens zag dat het lemmet op en neer ging.

Nick haalde diep adem. 'Kan ik wat doen?'
'Eén jaar lang heb ik dat rotdek kunnen schrobben!' barstte Unlucky uit. Hij wierp het mes in de houten plank waar het trillend bleef staan en stukjes groenten vlogen in het rond. 'En meneer hier houdt het nog geen dag vol!'
Nick hield zijn lippen stijf op elkaar. Het was slimmer om nu zijn mond te houden. Dat werkte bij zijn ouders ook altijd het beste als ze boos waren. Het zou trouwens ook beter hebben gewerkt als hij dat bij Zwartbaard had gedaan.
'Eén heel jaar lang heb ik het dek kunnen schrobben én de rotklussen kunnen opknappen!' Unlucky maakte een vuist en hield hem voor Nicks gezicht. 'Kloven, scheuren, uitgebeten door het zoute water. Bij windkracht 9, donder en bliksem. Hoorde je mij klagen?'
Nick schudde zijn hoofd.
'Pas na een jaar zag Zwartbaard me staan en mocht ik voor het eerst meehelpen een Spaans galjoen te veroveren. En wat leverde het me op...' Hij stak zijn houten poot omhoog en prikte er venijnig mee in Nicks zij. 'Lucky werd Unlucky en kreeg een rotbaantje in de keuken. Maar mij hoorde je niet!' brulde Unlucky.
Nick schudde zijn hoofd nog maar eens een keer.
'En jij...' tierde Unlucky verder. 'Na een uurtje schrobben val je flauw. Zwartbaard merkt je gelijk op en nog geen half uur later krijg je al een van de betere baantjes. Puh!' Hij spuwde de woorden uit. 'Het hulpje van Zwartbaard.'
Nick haalde zijn schouders verontschuldigend op. Unlucky gromde nog een keer en pakte zijn mes weer op. Hij zwaaide ermee naar de pan met bonenprut. 'Begin daar maar te roeien.'
'Roeren,' verbeterde Nick hem automatisch. Op het moment dat hij het zei, kon hij zijn tong wel afbijten.
'Je poezelige handen verraden je chique afkomst al,' zei Unlucky met een stem die zonder moeite een steen doormidden kon snijden. 'Daar heb je die dure woorden niet voor nodig.'
Nick kon nog net op tijd de houten lepel die hem werd toegegooid ontwijken. Hij raapte hem van de vloer en begon in de prut te roeren.

Naar zee

De oranje zon aan de horizon verdween langzaam in de zee. De witte schuimkoppen beukten tegen de zijkant van het schip en de zilte lucht drong Nicks neus binnen. De wind speelde met zijn krullen en af en toe waaide er opspattend water over zijn armen. Hier stond hij dan. Op een echt piratenschip in 1718. Onvoorstelbaar maar waar. Hij ademde de lucht diep in en keek over de golven. Het was een rustgevend gezicht hoe ze steeds weer opnieuw tegen elkaar opbotsten om vervolgens uit elkaar te vloeien. In de verte kleurde de lucht zwart en dat kwam niet alleen doordat de zon onderging. Er kwam slecht weer aan.
Hij omklemde de reling met twee handen. De kade was nauwelijks meer te zien. En zolang hij geen vaste grond onder zijn voeten had, zat hij gevangen in deze tijd. Het bezorgde hem een vreemd gevoel. Een spanning die hem misselijk maar tegelijkertijd opgewonden maakte. Hier had hij altijd van gedroomd. En nu was het echt. Zou het heel erg zijn om er ook een beetje van te genieten? Hij klemde de houten reling nog wat beter vast toen hij aan thuis dacht. Zijn ouders. Zouden ze hem al missen? Hoe zou dat eigenlijk met de tijd gaan? Ging die in het andere leven net zo snel als hier? Hij zuchtte. Het was iets waar hij pas achter zou komen als hij weer terug kwam. Tot dan zat er niets anders op dan te overleven en er het beste van te maken.
Het was druk aan boord. In een hoek maakte een groepje hun pistolen schoon. Een aantal hees zeilen en anderen klommen langs touwladders tot in de masttoppen omhoog en knoopten de zeilen vast. Vol bewondering keek Nick hoe ze snel omhoog klauterden. Wat een spierballen hadden die gasten. Daar waren die van hem in-

derdaad maar erwtjes bij. Unlucky had hem na de afwas naar boven gestuurd om te gaan werken. Maar wat kon hij doen?
Het schip kreeg steeds meer vaart en deinde op en neer. De masten kreunden en de zeilen klapperden. Nick liet de reling los. Hij moest het schip maar eens verder gaan verkennen. Een kip fladderde kakelend voorbij en verdween in een houten hok dat even verderop stond. Ook al zoiets dat hij nooit had geweten. In deze tijd namen ze levende kippen mee aan boord voor verse eieren.
Voor hij een stap had gezet, dook Jim achter hem op. 'Opschieten!' gromde Jim. Hij trok Nick mee over het dek naar de voorste mast. Bij de touwladder bleef hij staan.
'Wat bedoel je?' vroeg Nick.
'Omhoog. Het want in. Tot aan het kraaiennest.'
'Het want?'
Jim trok ongeduldig aan het touwwerk. Het zag eruit als een groot klimrek. 'Op een schip krijg je geen tijd om uit je neus te eten,' zei hij. 'En zeker niet bij mij. Opschieten!'
Met een zwaai zette Jim hem een meter hoger. 'En nu klimmen!' zei hij. 'Als Zwartbaard merkt dat we een schip hebben gemist omdat jij hier staat te treuzelen zitten we dadelijk samen op een onbewoond eiland. En dat is wel het laatste wat ik wil.'
Nick greep het touw vast. Klimmen kon hij wel. Op school was hij een van de besten. Hij zette een voet op het onderste touw en greep een paar touwen erboven. Oei! Dit was wel heel anders dan het wandrek op school. Het wiebelde veel meer en het touw schuurde aan zijn handen. Door zijn te grote schoenen schopte hij steeds tegen het touwwerk en gleed hij weer terug.
'Stop maar,' riep Jim na een paar misstappen. 'We gooien eerst die idiote schoenen van je overboord.' Hij trok Nick terug het dek op en greep zijn been.
'Ben je helemaal...!' gilde Nick. Hij sloeg naar Jims arm.
'Je ziet toch dat het niet werkt,' riep Jim. Hij nam een been in de houtgreep en trok de eerste veter los.
'Afblijven!' Nick trapte met zijn vrije voet.
'We moeten omhoog en zo schieten we niet op,' snauwde Jim.

'Dat kan wel zijn maar van mijn schoenen blijf je af!' schreeuwde Nick. 'Ik heb een ernstige voetschimmel. Zeer besmettelijk!'
Jim keek hem met opgetrokken wenkbrauwen aan.
'Echt waar,' riep Nick. 'Je tenen worden geel, paars, grijs en dan groen en na een poosje vallen ze eraf. Er zitten zweren op en er loopt pus uit. In het ergste geval houd je alleen nog maar stompjes over.'
'Je belazert me,' mompelde Jim maar liet toch Nicks schoen los.
Snel pakte Nick het touw weer vast en begon te klimmen. Het idee dat zijn schoenen overboord werden gegooid en langzaam naar de bodem van de zee zouden zakken. Dan moest hij hier voorgoed blijven. Bij elke stap zwaaide hij zijn been zo ver naar achteren dat hij nergens achter kon blijven haken.
Jim klauterde hem voorbij. 'Hoe zit het dan met jouw voeten?' vroeg hij.
'Speciale schoenen,' mompelde Nick. 'Een dokter heeft er een binnenschoen ingemaakt met smerige zalf om het proces tegen te houden. Het stinkt enorm! Dat wil je vast niet ruiken.'
'Inderdaad, dat wil ik niet,' antwoordde Jim. Hij knikte even. 'Zie je boven wel.'

Met trillende armen en benen van het klimmen stond Nick na een kwartier in het kraaiennest. Zijn handen waren verkrampt en tintelden nog na van het ruwe touw. Hij slikte toen hij over het randje van het kraaiennest naar beneden keek. De kippen op het dek leken wel mieren en de mannen leken wel kippen. Hij greep de reling van het kraaiennest stevig vast. Hierboven schommelde het schip nog harder dan beneden.
'Hier.' Jim duwde een telescoop in zijn handen. 'Zodra je een schip ziet, meld je dat.'
Nick zette zijn benen uit elkaar om zijn evenwicht te bewaren en hield de kijker voor zijn oog. Het werkte als een verrekijker die je kon uitschuiven maar je kon er maar met een oog doorheen kijken. Water, water en nog eens water. Hij veegde zijn haren uit zijn ogen en stopte ze onder zijn zakdoek. De wind bleef maar blazen en het

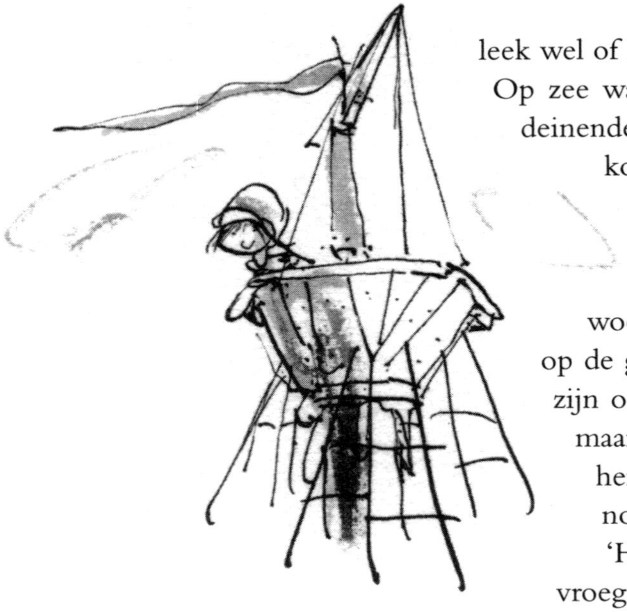

leek wel of het steeds harder ging waaien. Op zee was niks meer te zien dan een deinende massa zwart water met witte koppen.

Na een kwartier turen haalde hij de telescoop van zijn oog. Jim had nog geen woord met hem gewisseld en zat op de grond van het kraaiennest aan zijn oorbel te frunniken. Hij moest maar eens proberen vrienden met hem te worden. Die had hij toch nodig zolang hij op dit schip zat.

'Hoe kom je aan die oorbel?' vroeg hij vriendelijk.

'Die krijgen alle mannen na hun eerste kaping,' gromde Jim. Hij trok de telescoop uit Nicks handen en kwam overeind.

'Die zou ik ook wel willen hebben,' zei Nick.

'Dan moet je eerst laten zien dat je een echte piraat bent.' Jim zette de kijker aan zijn oog en draaide zijn rug naar Nick. Einde gesprek.

Nick staarde over de zee. Een kaping. Zou hij dat meemaken in de tijd dat hij hier was? Zijn ouders zagen hem al thuiskomen met zo'n gigantische oorbel in zijn oor. Thuis... Hij was pas een paar uur aan boord maar hij had het gevoel alsof hij al jaren weg was. Hij begon zenuwachtig te giechelen toen hij doorkreeg dat het in werkelijkheid ook zo was. Het werd zo erg dat het zenuwachtige gegiechel in een lachstuip overging.

'Mensen die hun verstand hebben verloren lachen ook zo idioot,' zei Jim. Argwanend keek hij hem over zijn schouder aan. 'Waar kom je eigenlijk vandaan?'

Wat moest hij daar nu op antwoorden. Zou Jim weten waar Nederland lag? Bestond dat een paar honderd jaar geleden al?

'Ik ben weggelopen,' zei Nick nahikkend.

'Zie je wel! Je bent ontsnapt, je bent gek en je hebt een enge ziekte,' riep Jim.

'Welnee!' riep Nick. De lachstuip was over. Wat dacht Jim wel? 'Ik ben weggelopen van huis om... om... piraat te worden.'
'Om piraat te worden moet je een gewelddadige crimineel of slaaf zijn,' bromde Jim. 'Of een gek. En je begint met het schrobben van het dek. Wat is er zo speciaal aan jou dat je dat niet meer hoeft te doen?'
Nick haalde zijn schouders op. 'Ik kan lezen en schrijven en ik ben goed voor de kleine ruimtes heeft Zwartbaard me gezegd.'
'Jij kunt lezen?' vroeg Jim verbaasd.
Nick boog zich voorover. 'Zwartbaards ogen worden slechter,' fluisterde hij. 'Maar ik mocht het tegen niemand vertellen. Hij wil niet dat iemand het weet.'
'Waarom vertel je het dan aan mij?'
'Jij bent mijn vriend toch,' antwoordde Nick.
'Jouw vriend?' zei Jim. Hij sprak het woord uit alsof het smerig eten was.
'Nou ja, ik wil je vriend graag worden,' zei Nick. 'Je kunt zo goed klimmen en je weet alles van dit schip. Je bent mijn grote voorbeeld. Ik heb nog nooit zo'n stoere piraat als jij gezien.'
'Zal wel,' gromde Jim. Toch hoorde Nick aan Jims stem dat hij het wel een compliment vond.
'Voor mij ben jij de beste,' deed hij er nog een schepje bovenop. 'En zal ik je nog eens wat vertellen?' fluisterde Nick.
'Nou?'
'Zwartbaard kan de kleine lettertjes niet meer lezen en daarom moet ik hem helpen zijn logboek bij te houden.'
'Zijn logboek bijhouden,' mompelde Jim. Hij tuurde even naar de maan en leek na te denken. 'Misschien moeten wij inderdaad maar eens vrienden worden,' zei hij na een poosje.
Nick grijnsde tevreden. 'Wat is dat met die kleine ruimtes?' vroeg hij. 'Dat begreep ik niet helemaal.'
'Daar mag je blij mee zijn!' zei Jim.
'Hoezo?' vroeg Nick.
'Bij een gekaapt schip word je het ruim ingestuurd. Elk gat waar een volwassen persoon niet in kan, is voor jou. En je weet wat je daar kunt vinden.'

‘Goud?’ probeerde Nick.
Jim grinnikte. ‘Als het meezit. Meestal vind je er ratten, spinnen en ander ongedierte. Maar Zwartbaard wil geen goudstuk of edelsteen missen. Vandaar dat hij altijd graag een kleineruimtekruiper heeft. De vorige is bij de laatste tocht overboord geslagen tijdens een storm.’
Nick klemde zich meteen stevig vast aan de rand van het kraaiennest. Overboord slaan, ratten en andere enge beesten... Wat een leven! Hij keek voor zich uit. Zee, zee en nog eens zee.

Het schip deinde al uren op en neer in de storm. De zeilen klapperden oorverdovend. De houten planken van het schip en de masten kraakten en kreunden en de regen striemde tegen Nicks gezicht. Bibberend zat hij ineengedoken op de bodem van het kraaiennest en voelde zich kotsmisselijk en ijskoud. Het eten van de afgelopen avond wilde er met alle geweld uit. Hij wist zeker dat hij groen zag. Hij wist niet of hij het nog lang kon volhouden hierboven maar naar beneden gaan kon ook niet. Trouwens Jim zou hem niet eens de kans geven. Die genoot ervan om hem zo te zien lijden. Lekkere vriend.
Grote golven sloegen over het dek en de scheepslantaarn slingerde als een dronken man heen en weer.
‘Je wilde toch piraat worden, kleineruimtekruiper,’ schreeuwde Jim tegen de wind in. ‘Dan moet je hier ook tegen kunnen.’ Hij duwde de telescoop in Nicks handen en sleurde hem overeind. ‘Jouw beurt.’
Nick kon nog net een golf eten tegenhouden. Wankel steunde hij tegen de rand van het kraaiennest. Bliksemschichten doorkliefden de lucht. Golven zo hoog als huizen slingerden het schip heen en weer tussen de witte schuimkoppen en donderslagen volgden elkaar in een hoog tempo op. Nick kromp ineen en had moeite overeind te blijven. Lag hij maar lekker in zijn bed. Was hij maar nooit dat winkeltje binnen gelopen. Hij keek door de telescoop maar werd er nog misselijker van. Hij kon dat ding geen moment stilhouden en de golven leken wel op een meter afstand over hem heen te slaan.

Hij draaide rond en kreeg nu het schip goed te zien. Bij de tweede mast keek hij wat langer. 'We zijn de vlag verloren!' schreeuwde hij. Hij wees naar de mast.
'Jij snapt er echt nog niks van hè,' riep Jim. 'Als we die laten hangen dan lukt het ons nooit om dicht bij een schip te komen.'
'Maar als je geen vlag hebt dan weten ze toch ook al genoeg,' riep Nick. Driehonderd jaar geleden waren de mensen nog wel een beetje dom hoor.
'Als we een schip zien en we weten van welk land het is, hijsen wij snel een vlag van hetzelfde land,' riep Jim. 'En we laten een doek over de naam van het schip vallen met een andere naam. Daardoor denken ze dat we vrienden zijn en kunnen we dichtbij komen. Pas als we vlakbij zijn en het andere schip niet meer kan vluchten, hijsen we heel snel onze eigen vlag. En dan geven ze zich over.'
'Ja hoor!' riep Nick teleurgesteld. 'Vechten ze dan helemaal niet?'
'Sommigen wel, maar zodra ze zien dat het de vlag van Zwartbaard is, geven ze zich meestal over.'
'Waarom staat er eigenlijk zo'n lelijk geraamte op en geen doodshoofd zoals elke piratenvlag heeft,' vroeg Nick.
Jim grijnsde. 'Angst aanjagen. Daar is Zwartbaard heel goed in.'
Nick knikte. Hij zag de kleine man weer overboord vliegen. Zelf was hij flauwgevallen.
'Het geraamte met de hoorntjes en de gespleten voeten betekent dat Zwartbaard een verbond met de duivel heeft,' grijnsde Jim. 'De zandloper zegt dat je tijd bijna om is, het bloedende hart dat je een langzame dood tegemoet kunt zien en de pijl met de drie druppels bloed geeft aan dat er bloed gaat vloeien als je je niet overgeeft.'
'Tja, in dat geval zou ik me ook overgeven,' mompelde Nick. Hij draaide de telescoop weer naar zee. Water, water en nog eens water.

Schip in zicht

Tegen de tijd dat de ochtendschemer kwam, nam de wind af en werd de zee wat rustiger. Nick deinde van binnen nog steeds heen en weer. Toch was de misselijkheid wat gezakt en het gevoel dat hij moest braken was een stuk minder geworden. Hij had net de telescoop weer overgenomen toen hij in de verte een punt zag.
'Een schip!' Hij schrok van zijn eigen enthousiasme.
Jim trok de telescoop uit zijn handen. 'Waar?'
Nick wees in de richting waar hij het puntje had gezien.
'Hoe laat,' brulde Jim.
Onzeker keek Nick om zich heen. Wist hij veel hoe laat het was. Hij had zijn horloge gisteren snel afgedaan om geen lastige vragen te krijgen. En aan boord had hij alleen maar een klok in de kajuit van Zwartbaard gezien.
'Ik weet niet hoe laat het is,' zei hij toen maar.
'Op welke tijd vaart het schip!' brulde Jim. 'Een uur, twee uur, elf uur.'
Nu ging Nick een lichtje branden. Met de wijzers van de klok kon je een positie aangeven.
'Twee uur,' zei hij snel.
Jim draaide een stukje. 'Schip in zicht!' schreeuwde hij toen. Hij boog over de rand van het kraaiennest en brulde het nog een keer naar beneden.
Binnen een paar tellen stond het hele dek vol bemanning. Zwartbaard stond voorop met een telescoop en riep bevelen. De zeilen moesten nog strakker. Roeiers werden naar beneden gestuurd. Iedereen vloog heen en weer en had zijn eigen taak.
Jim gaf Nick een klap op zijn schouder. 'Niet slecht voor een begin-

neling,' gromde hij. 'Nu eens kijken of je ook overweg kunt met kanonnen.'

Zodra ze afgelost waren in het kraaiennest, nam Jim hem mee naar het geschutsdek om kanonnen te laden. Nick voelde zijn wangen gloeien. Jim had hem een compliment gegeven en nu zou hij een echt kanon van dichtbij zien.
Eerst moest hij helemaal onder in het schip bij de kruitkamer vaten met kruit naar boven sjouwen. En dat was geen makkie met die grote klossen aan zijn voeten. Twee keer was hij al heen en weer gelopen. Nick zette de laatste ton neer bij het kanon waar Jim stond.
'Met deze lepel schep je kruit,' zei Jim. 'Wel precies afstrijken. Het is een nauwkeurig werkje.'
Nick schepte de lepel vol en met een houten spatel streek hij de kop eraf.
'In deze kamer gooien,' zei Jim. Hij wees in het kanon. 'En nu aanstampen.' Vervolgens ging er een prop in om alles bij elkaar te houden. En als laatste werd de ijzeren kogel voorin geplaatst. Nick streelde met zijn hand over het massieve kanon. Zijn vingers tintel-

den toen hij het koude ijzer aanraakte. Wat een prachtig ding zeg. Nieuwsgierig keek hij door het luik waar het kanon straks doorheen gerold zou worden. Hij kon de contouren en de zeilen van het andere schip al duidelijk zien.
Op het geschutsdek verzamelden zich steeds meer opgewonden piraten. Nick keek langs hen heen naar het bovendek. Zwartbaard stond in de deuropening van zijn kajuit en haalde de telescoop van zijn oog. 'Hijs de Spaanse vlag,' riep hij. 'Bemanning aan dek! Nu!'
Nick keek over zijn schouder naar Jim. 'Als jullie aan dek gaan, zien die anderen toch meteen dat jullie piraten zijn? Dan heeft dat hijsen van hun vlag ook geen zin.'
Jim grijnsde alleen maar en Nick ontdekte later waarom. Op het dek stonden mannen in prachtige fluwelen kostuums met sierlijke hoeden. Aan hun uiterlijk was totaal niet meer te zien dat het piraten waren. Ze waren verkleed als rijke koopvaardijlui.
'We stelen niet alleen goud, zilver en juwelen,' zei Jim.
Zelfs de stuurman stond in een zwart fluwelen pak aan het roer en koerste recht op het aan te vallen schip af. Nick keek opnieuw naar het prachtige grote schip. Zou daar straks nog iets van over zijn? Hij zag de plaatjes uit zijn piratenboek voor zich. Mensen die werden neergeschoten, neergesabeld, overboord gegooid, een brandend schip... Geschrokken hield hij zijn adem in. Plaatjes in een boek waren wel even wat anders dan echte beelden. En nog erger! Dit was zijn schuld. Als hij het schip niet had gezien... Zijn knieën begonnen te bibberen.
Hij trok Jim aan zijn mouw. 'Ik ga Unlucky wel helpen in de keuken,' fluisterde hij.
'Niks d'r van,' gromde Jim. 'Je wilde toch een oorbel?'
'Nou, niet per se hoor.'
'Jij blijft bij mij. En daarmee uit.'
Nick klemde zijn handen om de rand van het luik en gluurde eroverheen. Nog maar honderd meter. Het was doodstil. Hij keek om zich heen. De gezichten van de mannen achter de kanonnen stonden gespannen. Jim kwam naast hem staan en keek met glinsterende ogen naar het schip.

'Nu gaat het gebeuren,' zei hij. 'Let maar op.' Hij wees naar de kajuit van Zwartbaard. De deur zwaaide open en Zwartbaard sprong naar buiten. 'Aanvallen,' brulde hij. Hij zwaaide een mes boven zijn hoofd.
Achter zijn riem zat een hele rij korte sabels, hakbijlen, en pistolen. Onder zijn hoed kwam rook vandaan waardoor zijn hoofd achter een grijze wolk verdween.
Op hetzelfde moment sprongen er uit alle hoeken en gaten piraten tevoorschijn. Onder luid gejoel werd de piratenvlag gehesen. De luiken van de kanonnen werden opengeklapt en de lopen van de kanonnen werden naar buiten gerold. *Boem!* Het eerste kanon bulderde. De dreun was voelbaar door het hele schip.
Nick trilde na en gluurde over de rand van het luik naar de kogel die door de lucht vloog. Kruitdampen vulden zijn neus. Hij kneep de houten rand van het luik haast fijn en wilde het nooit meer loslaten. Hij wilde niet langer kijken maar hij kon zijn blik ook niet afwenden. Zou de kogel het schip raken?

Rookpluimen stegen onder uit het schip op. Vlak voor het andere schip belandde de kogel in zee. Water spatte omhoog.
'Mis,' mompelde Nick opgelucht. Vlug keek hij of er nog een kogel afgevuurd werd maar de mannen achter de kanonnen waren verdwenen.
'Het was alleen maar een waarschuwing,' riep Jim. 'Als ze slim zijn geven ze zich over. Dan blijft hun schip heel. Maar anders...'
Hij sleepte Nick mee naar buiten. 'Op naar je eerste gevecht!' riep hij.
De piraten op *De wraak van koningin Anna* stonden zij aan zij op het dek richting het aan te vallen schip en zwaaiden met hun messen. Hun voeten stampten op de houten vloer. Ze schreeuwden aan een stuk door. 'Goud, juwelen en rum.'
Jim zette hem naast een onbekende piraat. Zelf kwam hij aan de andere kant staan. Hij trok een kort mes tussen zijn sjerp vandaan en duwde het Nick in zijn handen. 'Meedoen!'
Nicks handen beefden toen hij naar het gouden heft keek. Hij opende zijn mond maar er kwam geen geluid uit en zijn voeten leken wel verankerd aan de vloer. Zo'n prachtig mes had hij nog nooit vastgehad.
'Goud, juwelen en rum,' klonk het om hem heen.
Hij streelde het gouden heft waar allemaal mooie vormen in gegraveerd waren. Het voelde zwaar in zijn handen.
'Goud, juwelen en rum,' schreeuwden de piraten naast hem.

De woorden galmden in Nicks oren. Hij staarde naar de honderden voeten die gelijktijdig opgetild werden en op het dek neerkwamen. Elke stamp werd versterkt door de kreten 'Goud, juwelen en rum.' Langzaam nam het ritme van de woorden en het gestamp bezit van hem. Hij omklemde het mes tot zijn knokkels er wit van zagen. Om hem heen niets anders dan zee en twee schepen die steeds dichter bij elkaar kwamen. Het was zijn schip tegen het andere schip. Het geluid van de schreeuwende mannen golfde langs hem heen en het gestamp van de laarzen op het dek bonkte door zijn lichaam. Door het vaste ritme had hij het gevoel dat zijn hele lichaam meedeed.

Dat hij mee stampte, mee schreeuwde en één werd met de mannen. Pas toen Jim hem op zijn voet raakte, merkte hij dat hij nog steeds stilstond en geen geluid uitbracht. 'Meedoen,' gromde Jim.
Nick tilde zijn been op en probeerde hem in het ritme van de andere piraten op de vloer neer te laten komen. In de korte stilte tussen het geschreeuw en gestamp klonk een zielige 'boink' toen zijn schoen het dek raakte. Beter opletten! Nog een stamp. Ja, zo was het goed. Nu concentreren. Nog een stamp en nog een. Eindelijk had hij het ritme goed te pakken. Hoe beter het ging, hoe leuker het werd.
'Goud,' piepte zijn stem toen zijn linkervoet het dek raakte. Hij kuchte de dikke prop in zijn keel weg, zette een hand in zijn zij en prikte met het mes naar voren.
'Juwelen,' zei hij nu hardop en toen schreeuwend; 'en rum.' Hij zwaaide het mes boven zijn hoofd. 'Goud, juwelen en rum.' Bij elke stamp op het dek kwam het schip dichterbij. Hij schreeuwde en schreeuwde. Zijn keel voelde rauw en zijn stem sloeg over maar hij kon niet meer stoppen.
'Goud, juwelen en rum!' Een aaneengesloten lijn van woeste mannen brullend, stampend en met hun wapens in de lucht geheven. En hij hoorde erbij!
'Goud, juwelen, rum!' schreeuwde hij nog harder. Dit was zo gaaf! Hij brulde en stampte, brulde en stampte. Hij kon de hele wereld aan.

'Enteren,' schreeuwde Zwartbaard. Vanaf verschillende plekken werden viertandige enterhaken achter de reling van het andere schip gegooid.
'Goud, juwelen, rum!' riep Nick nog als enige maar zijn stem was niet meer hoorbaar door wilde kreten van de piraten. Hij ontwaakte uit zijn trance. Het lekkere gevoel was weg. Hij keek naar de door angst verwrongen gezichten van de mensen op het andere schip en staarde toen naar het glimmende mes in zijn handen. Snel liet hij het zakken. Verward stapte hij naar achter. Er waren vrouwen aan dek die huilden en in een hoek van het schip steun bij elkaar zochten.

Kleine kinderen klampten zich vast aan hun rokken. Beschaamd liep hij nog verder terug. Waar was hij mee bezig? Hij had zo'n kind kunnen zijn! Hij liet het mes uit zijn hand vallen en rende naar een paar kisten. Op zijn hurken ging hij erachter zitten en gluurde over de rand. De piraten trokken het schip steeds dichter tegen hun eigen schip aan. Zwartbaard stond vooraan bij de reling.
Toen de schepen tegen elkaar aan lagen, sprongen de piraten op het andere dek. Een witte vlag werd omhoog gehesen.
'Ze geven zich over!' riep Zwartbaard. Behendig sprong hij op het andere schip en liep naar de kapitein. 'Verzamel alle mensen die je aan boord hebt op het achterdek!' schreeuwde hij. 'En laat er niemand achterblijven.' Dreigend hield hij een kort mes voor de keel

van de kapitein. 'Alleen dan sparen we jullie levens.'
De kapitein van het Spaanse galjoen knikte kort en gaf bevelen.
Al snel verzamelden alle mensen zich op het schip. Iedereen moest zijn wapens afgeven. Messen en pistolen kletterden op het houten dek.
Jim had de leiding over de groep gegijzelden en bewaakte ze met nog een aantal andere piraten. De eerste kisten met waardevolle spullen werden naar boven gebracht. Zwartbaard grijnsde tevreden maar liep toen met grote stappen naar het achterdek. Een piraat viel een van de vrouwen lastig. Zwartbaard gaf hem een knal voor zijn kop. 'Van de vrouwen blijf je af,' brulde hij. 'Je aandeel wordt gekort. En als je niet luistert je handen ook.'
De piraat deinsde naar achter en verborg zijn handen meteen op zijn rug. Toen de laatste kisten en vaten met rum naar boven waren gebracht, keek Zwartbaard om zich heen.
'Waar is de kleineruimtekruiper?' schreeuwde hij naar Jim.
Nick kroop nog verder weg achter de kist. No way dat hij daar aan boord ging. Hij schaamde zich kapot tegenover al die vrouwen en kinderen waar hij als een bezetene tegen had geschreeuwd. Weerloze vrouwen. Bange kinderen. Hoe had hij het kunnen doen?
Jim stak zijn handen vragend in de lucht.
'Jij bent verantwoordelijk voor hem,' schreeuwde Zwartbaard. 'Jij bent hem uit het oog verloren. Je wordt in je aandeel gekort.'
Nick gluurde om het hoekje van de kist. Jim keek woest naar het gouden mes dat vlak voor Nick op de grond lag en daarna naar Nick. 'Daar is die neppiraat!' riep hij nijdig.
Zwartbaard keek in de richting waar Jim heen wees. Met wiebelende benen stond Nick op.
'Hier komen!' beval Zwartbaard.
Nick liep naar de reling. Hij durfde niet naar de gegijzelden te kijken. Hij klom op de reling en keek naar beneden. Dat lukte nooit om van het ene schip naar het andere te klimmen zonder in zee te storten. Tussen de twee schepen zat een gat waar het water meters lager tussen lag. Springen was onmogelijk met die grote schoenen. Als hij naar beneden viel was hij er geweest. En ook al was hij niet

gelijk dood dan zouden zijn schoenen vol met water lopen en werd hij naar de bodem van de zee gezogen. Hij had niet het idee dat iemand hem achterna zou duiken. Voor hem zo weer een ander. Hij wankelde. Op de een of andere manier bleek de zee veel aantrekkingskracht te hebben. Hij moest niet nadenken. Gewoon klimmen. Zoals hij altijd deed. Zijn handen werden slap. Langzaam gleden ze van de reling weg... Het water kwam dichterbij.

'Hopla!' Met een zwaai werd hij overboord op het andere schip gezet. Nick keek om. Achter hem stond Unlucky. 'Je staat bij me in het krijt,' zei Unlucky zacht genoeg zodat alleen Nick het kon horen.

Nick knikte. Wat kon hij nu voor Unlucky betekenen?

'Wat eh... wat moet ik doen?' vroeg Nick met trillende stem aan Zwartbaard.

'De kleine ruimtes in,' grijnsde Zwartbaard. 'We moeten er zeker van zijn dat er niets achterblijft.' Hij knikte veelbetekenend naar de kapitein.

'Je hebt alles,' antwoordde de kapitein. 'Dat garandeer ik je.'

Zwartbaard trok Nick mee.

'Sorry,' fluisterde Nick ongelukkig naar de kapitein. De kapitein zei niets terug.

Bij het achterdek liepen ze langs de gegijzelden. 'Sorry,' mompelde Nick opnieuw toen hij in de angstige ogen van de vrouwen keek. Het was alles wat hij kon zeggen voor Zwartbaard hem een trapje afduwde.

Beneden werd hij alle hoeken en gaten ingestuurd. 'Til je poten toch eens op,' gromde Zwartbaard voor de derde keer. 'Als jij zo'n herrie blijft maken horen we nooit of er iemand is achter gebleven.'

Nick probeerde zo zacht mogelijk te lopen maar kon niet voorkomen dat hij af en toe ergens tegenaan schopte. Ze liepen al een uur rond en hadden nog niets en niemand gevonden. Wat een stomme klus, maar Zwartbaard stond erop dat elke ruimte bekeken werd.

Een van de laatste ruimtes was een lege voorraadkamer. Helemaal achterin was een laag deurtje. Nick opende het en kroop het schemerige gat in. Hij kon nog net een kreet binnen houden toen hij in de achterste hoek een man zag zitten die met beide armen een hou-

ten schatkist omarmde. Snel keek Nick achterom. Zwartbaard stond met zijn armen over elkaar tegen een wand te wachten. Wat moest hij nu? Als Zwartbaard erachter kwam dat hij het niet meldde, was zijn leven afgelopen. Maar als hij de man verraadde... Opnieuw staarde hij in de ogen van de man. Wie moest het worden? De man of hij...

Nick kroop een stukje vooruit. Hij had geen keus. Als hij nog levend thuis wilde komen, moest hij voor zichzelf kiezen. Hij opende zijn mond maar door de smekende ogen van de man kon hij geen geluid uitbrengen. Nick beet op zijn lip. Zwartbaard had al genoeg schatkisten naar boven gehaald. En als hij de man verraadde, ging ook de kapitein eraan. Want die had gelogen. En misschien gingen voor straf dan ook wel alle andere mannen eraan. En de vrouwen en kinderen. Wat zou daarmee gebeuren?

Zwartbaard schuifelde ongeduldig met zijn voeten over de vloer. 'Schiet eens op! Zo groot kan het daar niet zijn.'

'Nog even in het verste hoekje kijken,' riep Nick. Zijn leven in ruil voor heel veel anderen. Had hij dat lef? Wilde hij dat risico nemen? Hij voelde zich boos worden. Waarom moest hij die keuze maken! Hij hoorde niet eens in deze tijd.

'Moet ik soms zelf komen kijken,' gromde Zwartbaard. Hij zette een paar stappen richting Nick. De man kromp in elkaar.

'Nee, wacht maar,' riep Nick. 'Ik heb wat gevonden.'

Verslagen keek de man hem aan. Snel pakte Nick de ketting die om de nek van de man hing vast en trok er zacht aan.

Zwartbaard kwam dichterbij.

De man klemde de kist nog steviger vast en sloot zijn ogen.

Nick schoof een stukje terug naar de uitgang om het zicht voor Zwartbaard te belemmeren en trok met een ruk aan de ketting. *Plok!* De ketting brak.

De man sloeg een hand voor zijn mond maar gaf geen geluid.
Toen Nick achterom keek, zag hij de laarzen van Zwartbaard voor het deurtje staan. Met de ketting in zijn hand kroop hij terug de ruimte in.
Zwartbaard hurkte naast hem neer. Nick gaf hem de ketting met hanger en trok het deurtje achter zich dicht. Met zijn rug er tegenaan bleef hij op de grond zitten.
'Zeker uit een kist gevallen tijdens het verslepen naar boven,' mompelde hij. 'Voor de rest is het leeg.'
Zwartbaard keek hem doordringend aan.
Nicks hart bonkte in zijn keel. Als hij zijn ogen nu neersloeg wist Zwartbaard dat hij loog dus bleef hij kijken. Niet rood worden! Niet rood worden! bad hij in stilte. Hij was altijd zo'n slechte leugenaar! Bij zijn ouders probeerde hij het al niet eens meer. Die konden het meteen aan zijn ogen en zijn kleur zien.
Maar de enige rode kleur waar Zwartbaard oog voor had, was die van de glimmende steen die in de hanger zat vastgeklemd.
Nick slikte een keer en knikte naar de steen. 'Wat is het?' mompelde hij.
'Een rode robijn,' zei Zwartbaard glimlachend. 'Zeer zeldzaam en zeer kostbaar.'

Aan land

Op het bureau van Zwartbaard stond een kan met rum. Hij was al voor de helft leeg. Zwartbaard had voor Nick ook een kroes ingeschonken maar alleen al van de lucht werd hij misselijk. Toch stond Zwartbaard erop dat hij een slok nam.
Nick pakte de kroes aan. Het spul brandde op zijn lippen, tong en tegen zijn gehemelte. Toen hij het doorslikte vloog zijn keel in brand. Hij greep naar zijn strot en haalde hoestend en proestend adem terwijl het hete vocht door zijn lichaam naar beneden zakte. Tranen stroomden over zijn wangen. Met een klap zette hij zijn kroes naast de ketting met de robijn die op het bureau lag. Dit dronk hij dus echt nooit meer!
Zwartbaard grijnsde. 'Je went er vanzelf aan.' Hij leunde achterover in zijn stoel, legde zijn gelaarsde benen op tafel en sloot zijn ogen. 'Schrijf op,' zei hij. 
Nick doopte de veer in een pot met inkt. Voor hij de veer boven het blad van het logboek kon houden, was hij al een dikke druppel verloren. Het vloeide uit tot een blauwe vlek op Zwartbaards

bureau. Snel liet Nick wat zand over de inktvlek vallen.
'20 november 1718.'
De veer kraste over het papier. Wat een onding! Dan kwam er weer inkt uit en dan weer niet. Hij doopte de veer nog een keer in de pot maar tikte nu eerst tegen het randje voor hij hem op het papier zette. Hij drukte wat harder op het blad maar daar kon het papier weer niet tegen. Hij kon nog net op tijd een vloek binnen houden toen de veer er doorheen schoot. Wat een onhandige rommel hadden ze vroeger toch.
'Overwinning op Spaans galjoen,' begon Zwartbaard. Nick kraste en Zwartbaard dicteerde het hele verloop van het overvallen schip. Nick kreeg weer pijn in zijn buik toen hij terugdacht aan de angst van de mensen op het schip. Hoe had hij er ooit van kunnen genieten? Het enige goede was dat hij het leven van de man had gespaard en daardoor misschien wel van al die mensen. Zwartbaard had het schip uiteindelijk laten gaan. Het was te groot en te log geweest voor zijn vloot. Doordat de kapitein meegewerkt had, was er verder geen bloed gevloeid.
Hij schreef verder. De namen van de gestraften werden genoteerd waarbij vermeld werd dat hun aandeel werd gekort. Nick hield de veer stil. Hier zou Jim niet blij mee zijn. Die vond vast dat het zijn schuld was omdat hij achter een kist verstopt zat.
'Let je nog op?' Zwartbaard opende een oog. Snel zette Nick de veer weer op het papier.
'Gehoord dat luitenant Robert Maynhard onderweg is,' dicteerde Zwartbaard. 'Wordt morgen verwacht.'
De veer in Nicks hand trilde. Het ging gebeuren. Nog even en Zwartbaard was dood. Hij kreeg het ineens bloedheet en schoof zijn stoel een stukje naar achteren.
'Wat nou weer,' gromde Zwartbaard.
'Het is hier zo heet,' piepte Nick.
'Het is hier helemaal niet heet,' gromde Zwartbaard. 'Doorschrijven.'
Nick schoof de stoel weer aan. De letters uit het logboek dansten voor zijn ogen. Dit was zo idioot. Hij wist dat Robert Maynhard

Zwartbaard zou verslaan. Dat stond in alle piratenboeken beschreven. Na een heftig en bloederig gevecht zou Zwartbaard uiteindelijk doodgaan. En zijn hoofd werd dan opgehangen aan de boegspriet van het schip van Maynhard. Als trofee. En hij was de enige op dit hele schip die dat wist.
'Zetten koers naar Okracoke eiland. Stappen over op *Adventure*,' dicteerde Zwartbaard. De veer woog als lood in Nicks handen toen hij de woorden opschreef. Moest hij hem waarschuwen? Dat was toch verplicht als je wist dat er een moordaanslag op iemand beraamd werd? Of bestond die regel nog niet in 1718?
Haperend schreef hij de woorden op. Moest hij voorstellen om ergens anders heen te gaan? Kon hij de geschiedenis veranderen? Wilde hij de geschiedenis wel veranderen?
'Schrijf nou toch eens door!' brulde Zwartbaard. Hij keek naar de veer die opnieuw stil op het papier stond en sloeg met zijn vuist op tafel. Nick ving nog net op tijd de lantaarn op. Snel schreef hij verder. Als laatste moest hij noteren wat de buit was. Samen met Zwartbaard liep hij naar het ruim waar de spullen opgeslagen lagen. Hij keek zijn

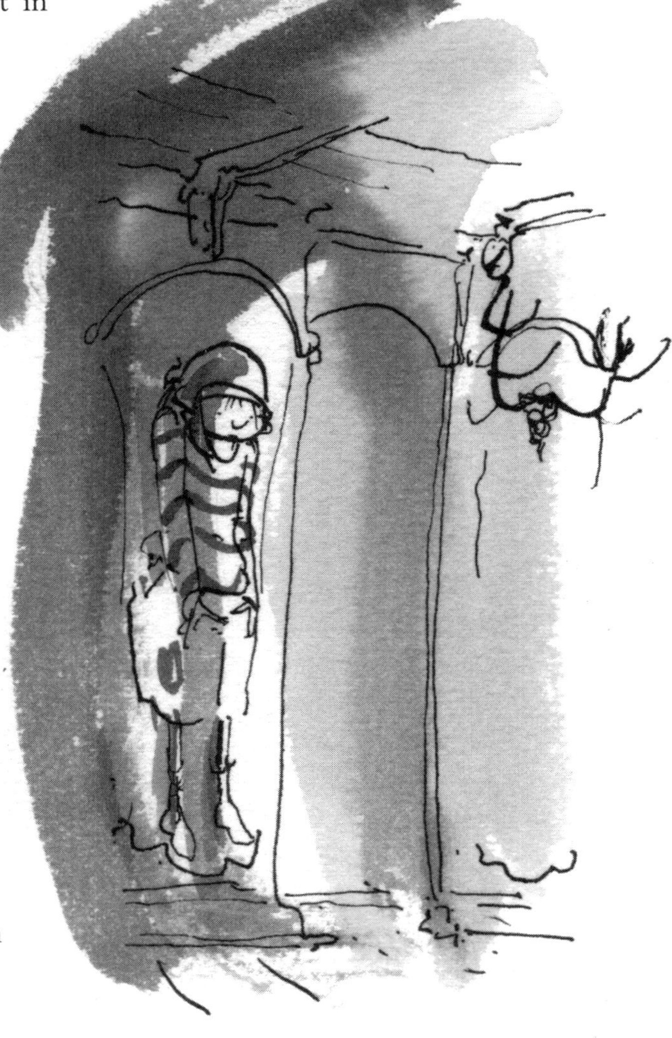

ogen uit toen de schatkisten open gingen. Goud, zilver, dukaten en juwelen. Zwartbaard gooide de ketting met de rode robijn erbij en graaide toen tevreden door de kisten. Nick kreeg kramp in zijn vingers van het schrijven.
Ook de collectie wapens was flink uitgebreid. Alles was meegenomen.
'Hoort die ook bij de buit?' vroeg Zwartbaard. Hij keek met geknepen ogen naar de band om Nicks middel waar een pistool doorheen stak. Jim had het hem gegeven voordat hij bij Zwartbaard het logboek had moeten bijwerken. 'Goed onthouden wat je opschrijft,' had hij erbij gefluisterd.
Nick schudde zijn hoofd. 'Het is een oude van Jim.'
Zwartbaard gromde wat en dicteerde verder.
Na een uur schrijven stond alles eindelijk op papier.
Terug in Zwartbaards kajuit borg Nick de spullen netjes op. Zwartbaard nam nog een slok drank en sloeg hem op zijn schouder. 'Goed werk,' zei hij. 'Daar staat een beloning tegenover. Wat wil je?'
'Aan land,' zuchtte Nick automatisch. Hij moest weg zijn voor Maynhard hen vond.
'Land is voor watjes. Ik weet iets veel beters,' zei Zwartbaard. Hij wees naar Nicks schoenen. 'Dat geklos van je irriteert me mateloos.' Hij liep naar de kast en trok een stel bruine laarzen tevoorschijn met gouden gespen en een groene steen. 'Dit zal je beter passen. Ze zijn van mij geweest.'
'Nee!' Nick sprong weg. Zijn schoen nam een poot van een stoel mee die kletterend achterover viel. 'Ik wil geen laarzen,' riep hij.
'Wat krijgen we nou!' snauwde Zwartbaard. Hij boog zich dreigend voorover. 'Niemand maar dan ook niemand weigert een cadeau van mij!' Zijn hand greep Nicks keel. 'Ondankbare hond!'
Nicks armen schoten de lucht in toen hij de woeste ogen van Zwartbaard zag. 'Genade,' riep hij. Het was het eerste dat hem te binnen schoot. Maar in plaats van genade te tonen tilde Zwartbaard hem op. Het volgende moment hing Nick in de lucht met zijn rug tegen de houten wand. Het hoofd van Zwartbaard was een paar millimeter van zijn gezicht verwijderd. Nick hield zijn adem in toen hij de smerige adem van Zwartbaard rook.

‘Met genade toon je je zwakheid,’ bulderde Zwartbaard. ‘Dat wil ik je nooit meer horen zeggen! Tegen niemand niet!’
Nick kon alleen maar met zijn ogen knipperen.
‘En nu zeg je dankjewel.’ De vingers om Nicks hals trokken aan.
‘Grhwkst,’ zei Nick.
‘Wat?’ vroeg Zwartbaard. Hij hield zijn hoofd een beetje schuin.
Nick wees naar de vingers om zijn nek.
‘Oh.’ Zwartbaard gaf wat meer lucht.
‘Dankjewel...’ piepte Nick. Zwartbaard knikte tevreden en liet hem los. Met een plof kwam hij op de grond. Nick wreef met een trillende hand over zijn pijnlijke keel. Zwartbaard gooide de laarzen naar hem toe. ‘Aantrekken!’
‘Maar deze schoenen zijn mijn laatste aandenken aan thuis,’ fluisterde Nick. De tranen prikten achter zijn ogen. Het zou hem toch niet gebeuren dat hij zijn schoenen kwijtraakte! ‘Ze zijn van mijn overleden vader.’
‘Het wordt tijd dat je afstand van hem neemt,’ riep Zwartbaard ‘Een echte piraat jankt niet om zijn vader.’
Nick perste zijn lippen op elkaar om het niet uit te schreeuwen.
‘En nu uitdoen,’ gromde Zwartbaard ‘Niemand weigert de bevelen van Zwartbaard op te volgen. Het is dat je ook je nut hebt bewezen. Anders had je allang overboord gelegen.’ Dreigend keek hij van Nick naar de laarzen. ‘Maar maak me vooral niet kwaaier.’
Met trillende vingers knoopte Nick zijn veters los. De boodschap was duidelijk. Zijn mond voelde droog toen hij de schoenen uitdeed en in de laarzen gleed.
‘Mooi?’ vroeg Zwartbaard.
Nick knikte met gebogen hoofd.
‘Dat is beter!’ gromde Zwartbaard. Hij pakte de achteruitloopschoenen van de grond en zette ze met een zwaai in de kast.
Nick gluurde onder zijn oogwimpers door. Ze verdwenen in elk geval niet helemaal uit zijn leven.

Vasteland

Somber staarde Nick naar de laarzen. Langzaam verdwenen ze in het drabbige zand van het onbewoonde eiland terwijl kleine golfjes over zijn voeten rolden en zich weer terugtrokken. Hij was aan land... MAAR ZONDER LULA'S SCHOENEN! Kon het nog erger? Het liefste zakte hij nu helemaal weg in het zand. Als hij misschien lang genoeg bleef staan, lukte het wel. Hij wilde gillen, krijsen, brullen maar in plaats daarvan balde hij zijn handen tot vuisten en kneep zo hard dat zijn nagels in zijn handpalm prikten. Hij keek naar de sloep op het strand waarin Jim en Unlucky rum lagen te drinken. Ze waren door Zwartbaard naar het eiland gestuurd om te onderzoeken of er vers water was. Nick moest er een plattegrond van maken zodat ze er in noodgevallen gebruik van konden maken. Alles in het gebied werd op de grote zeekaart ingetekend.

'Voor iemand die graag vasteland onder zijn voeten wil, zie je er knap chagrijnig uit,' riep Jim. Hij hief de rumkan omhoog en nam nog een slok. 'Hoe zit het trouwens met die voeten van je? Ik dacht dat je die speciale schoenen niet mocht uittrekken?'

Nick trok zijn laarzen voorzichtig uit het zand en liep terug naar de sloep. Het had geen zin om te blijven staan. Wegzakken lukte niet en thuis zou ook niet dichterbij komen. Met een zucht liet hij zich in de boot vallen.

'Dat is ook zo,' zei hij. 'Ik moet ze terug hebben en dan wil ik van boord af. Kunnen jullie me helpen?' probeerde hij.

'En waarom zouden wij jou helpen,' gromde Unlucky. 'Dank zij jou zijn wij gekort in ons aandeel.'

'Volgens mij worden jullie elke keer gekort,' antwoordde Nick. Hij had in het logboek teruggebladerd. Zwartbaard strafte gemakkelijk en veel. Vooral de namen van Unlucky en Jim werden dagelijks genoemd.

'Het maakt niet uit wat jullie doen maar rijk worden jullie nooit.'

Jim en Unlucky wisselden een blik.

'Zie je wel!' Jim zette de rumkan aan zijn lippen en nam een flinke slok. 'Zwartbaard heeft de pik op ons.'

'Hij zorgt zelf dat hij het meeste overhoudt,' zei Unlucky kwaad. 'En dat verzuipt ie en geeft ie uit aan mooie vrouwen. En wij...'

'Wij kunnen op een houtje bijten,' vulde Jim nijdig aan. Het bleef even stil.

'Misschien kan hij wel iets doen voor ons,' zei Jim. Hij wees met de rumkan richting Nick. 'Je weet wel, Unlucky. Waar we het over gehad hebben.' Hij klokte wat drank naar binnen en liet een boer.

'Wat kan ìk nu voor jullie doen?' zei Nick somber. 'Ik ben een flutpiraat zoals jullie al zeiden. Ik weet niks en kan niks. Alleen maar een beetje schrijven.'

'Precies,' zei Unlucky. 'Hoe graag wil je van het schip af?'

'Heel graag,' riep Nick. 'Maar wel met mijn eigen schoenen,' voegde hij er snel aan toe.

'Wlat is dat toch met die schoenen!' riep Jim. De rum begon zijn werk te doen. 'Dat verhaal van die besmettelijke ziekte geloof ik niet meer en je hebt nu plachtlaarzen. Die hebben wij nog nooit gekregen van Slapbaard!' Hij giechelde om zijn verspreking. 'Pardon, Zzzwartbaard!' Hij stak zijn vieze tenen de lucht in en duwde ze tegen Nicks keel. 'De waarheid nu!'

De waarheid? Die kon hij niet vertellen. Ze zouden hem niet geloven. En stel dat ze hem wel zouden geloven en Jim zou de schoenen uitproberen... Die zag hij er wel voor aan. Zeker als hij gezopen had. Weg schoenen.
Nick sloeg zijn ogen neer. 'Ze zijn van mijn vader,' mompelde hij haast onhoorbaar. 'Het laatste wat ik van hem heb gekregen voordat hij stierf.'
Er viel een stilte. Nick veegde wat zand bij zijn oog weg.
'Och jongen, toch,' bromde Jim. 'Had dat dan meteen gezegd.'
Nick gluurde tussen zijn vingers door. Hoorde hij een trilling in Jims stem? Jim nam nog een slok en snoof zijn neus luidruchtig. 'Ik weet precies hoe je je voelt,' zei hij geëmotioneerd. 'En ik heb helemáál geen herinnering aan mijn vader!' brulde hij. Nick kukelde zowat van de rand van de boot. Die ruige bullebak had ook gevoel in zijn donder. Zou de rum daar ook aan meewerken? Nog maar wat aandikken dan. Hij haalde zijn neus op en wreef zo hard in zijn ogen dat ze er wel rood uit moesten gaan zien.
'Hij stierf een week na mijn moeder,' snikte Nick. 'Het is mijn laatste herinnering. Als ik ze aan heb, is hij toch nog een beetje bij me,' haalde hij uit. Hij sloeg zijn handen voor zijn gezicht. Oppassen dat hij nu niet ging overdrijven!
'Geef die jongen wat rum,' brulde Jim.
Nick nam de rumkan graag over van Jim. Die hete drank kon voor de echte tranen zorgen. Hij nam een enorme slok en hup daar waren ze. Flink knipperen nu en ja hoor. De eersten druppels gleden over zijn wangen.
'O, jongen toch,' snikte Jim opnieuw. De tranen stroomden uit zijn ogen. 'Ik zal als een vader voor je zijn.' Hij trok Nick tegen zich aan en woelde door zijn haren. Zuchtend keek Unlucky het aan. 'Neem alles maar,' zei hij geërgerd tegen Nick. 'Jim kan er niet zo goed tegen.'
Dankbaar rukte Nick zich los en nam nog een slok. Zijn hele lijf stond in brand, zijn hoofd werd licht en zijn benen voelden aan als betonblokken. Maar als hij de hulp van Jim en Unlucky wilde hebben moest hij hier even doorheen.

‘Wat moet ik voor jullie doen om me te helpen,’ snifte hij.
‘Je kunt...’ begon Jim.
‘Wacht even!’ riep Unlucky. ‘Hoe weten we dat we hem kunnen vertrouwen? Over die schoenen heeft hij ook al gelogen. Als Zwartbaard merkt dat we hem belazeren...’
Nick keek van de een naar de ander. ‘Wat moet ik doen?’ vroeg hij.
‘Wedden dat Zwartbaard ons expres met hem hierheen heeft gestuurd. Dan kan hij ons uithoren,’ zei Unlucky.
Jim was op slag nuchter en keek Nick scherp aan. ‘Is dat zo?’ vroeg hij. Dreigend kwam hij op Nick af.
‘Ik ben niet gestuurd door Zwartbaard,’ zei Nick snel. Wat was die Jim onberekenbaar met drank op zeg! Zo wilde hij de plek van zijn vader innemen en knuffelde hij hem half dood, het volgende moment stond hij hem naar het leven. ‘Echt niet!’
‘We weten eigenlijk niks van hem.’ Unlucky spoog op het strand. ‘Ik vind het een te groot risico. Beter gekort in mijn aandeel dan sterven op een onbewoond eiland.’
‘Heus! Ik ben te vertrouwen!’ riep Nick.
‘Ja, ja...’ gromde Unlucky. ‘We gaan maar eens vers water zoeken.’ Hij gooide een leeg vat op het strand. ‘En jij mag sjouwen,’ zei hij tegen Nick.
‘Ik heb Zwartbaard al een keer belazerd!’ riep Nick in paniek. Het was nu of nooit. Hij moest het vertrouwen van Jim en Unlucky zien te winnen. ‘In het veroverde schip heb ik een man bij een schatkist gezien en ik heb niks gezegd!’ Hij sloot zijn ogen. Dit kon hem zijn leven kosten! Maar de woorden waren al gezegd.
‘Je liegt,’ zei Unlucky maar er klonk enige twijfel in zijn stem.
‘Hij zat in een klein hok achter in de voedselkamer,’ fluisterde Nick. ‘Hij keek me zo angstig aan. Hij leek op mijn vader.’ Hier slikte Nick een denkbeeldige brok in zijn keel door. Hopelijk was Jim nog steeds gevoelig voor dit onderwerp. ‘Ik kon hem niet verraden,’ fluisterde hij verder. ‘Om zijn nek had hij een ketting met een robijn. Ik heb de ketting van zijn nek getrokken om Zwartbaard af te leiden.’
‘Je verzint het!’ gromde Jim.

'Zwartbaard heeft het logboek van het andere schip meegenomen,' mompelde Nick. 'Als je het logboek van *De wraak van koningin Anna* vergelijkt met het logboek van het andere schip kun je zien dat er een schatkist mist bij de lading die we van boord hebben gehaald. Zwartbaard heeft zelf niet gekeken. Ik moest het voorlezen en heb een ander getal genoemd.'
Jim wreef met zijn hand over zijn baard.
'Als Zwartbaard hierachter komt ben je dood,' zei Unlucky.
Ik weet het, dacht Nick. Een oorverdovende stilte daalde op hem neer. Hij kruiste zijn vingers achter zijn rug en keek smekend naar de lucht. De tijd waarin hij op een reactie wachtte duurde voor zijn gevoel een eeuwigheid. *Help me* vroeg hij geluidloos aan niemand in het bijzonder. *Als daar iemand is... help me dan!*
Jim doorbrak de stilte. 'Als we hem verraden, krijgen we misschien ons aandeel weer terug.' Hij grijnsde vals en stak zijn hand in de lucht. Unlucky grijnsde terug en klapte zijn hand ertegen alsof ze zojuist de beste deal hadden gemaakt.
Nick kromp ineen. Dit gesprek ging helemaal de verkeerde kant op. Die kerels deden alles om wat meer van de opbrengst te krijgen. Als ze dit zouden vertellen en Zwartbaard ging het controleren dan...
'Waarom beginnen jullie niet voor jezelf?' riep Nick. 'Dan zijn jullie eigen baas en kun je de opbrengst verdelen zoals jullie zelf willen.'
'Dat is de stomste opmerking die ik ooit gehoord heb,' riep Jim. 'Een piraat zonder schip.'
'Dat kun je kopen met de opbrengst van een van de schatkisten die je van Zwartbaard steelt,' flapte Nick eruit. Hij hield zijn adem in. Stelen van Zwartbaard was de ergste misdaad die je kon begaan. Maar het idee was in een opwelling door zijn hoofd geschoten. Of het mogelijk was wist hij niet. Hij had er nog niet goed over na kunnen denken.
'Op stelen staat de doodstraf of achterlating op een onbewoond eiland,' riep Jim. 'Je bent niet goed wijs, kleineruimtekruiper!'
'En dacht je dat Zwartbaard ons zomaar ons gang laat gaan?' riep Unlucky. 'Zodra hij weet dat wij op een schip zitten, valt hij ons aan en blijft er van ons en het schip geen spaander heel.' Ze tetterden

beiden door en somden nog veel meer dingen op waarom het een dom, idioot en belachelijk idee was. Nick had al vier keer naar adem gehapt om iets te zeggen maar kwam er niet tussen. Er zat maar een ding op.
'Zwartbaard leeft niet lang meer,' schreeuwde hij.
Het getetter hield op. 'Huh?' vroegen ze tegelijk.
'Luitenant Robert Maynhard zal hem doden,' zei Nick.
'Die Engelsman?'
'Ze zijn al onderweg.'
'Niemand kan Zwartbaard verslaan,' zei Unlucky.
'Maynhard wel. Geloof me nu maar. Hij is de beste van de wereld. Trouwens wat verliezen jullie ermee? Als ik gelijk heb dan hebben jullie in elk geval iets om mee te beginnen.'
Het bleef stil op het strand. Alleen het ruisen van de zee klonk om hen heen.
'Hoe had je gedacht een kist aan land te krijgen?' vroeg Jim na een poosje.
Nick haalde diep adem. 'Is het niet zo dat jullie na elke kaping in een baai voor anker gaan om feest te vieren?'
Jims ogen begonnen te glimmen. 'Nou en of!' riep hij. 'Dronken dat we dan worden.'
Daar had Nick op zitten wachten. 'Precies! Een mooier moment is er niet om een schatkist van boord te smokkelen en aan land te begraven. Dan moeten jullie natuurlijk niet dronken zijn.' Hij keek Jim daarbij in het bijzonder aan. 'Ik zorg dat er in het logboek een kist minder wordt gemeld. Jullie gaan weer terug aan boord en niemand die er ook maar iets van merkt. Na een poosje beginnen jullie met de opbrengst voor jezelf.'
'En wat is jouw deel?'
'Alles is voor jullie. Het enige wat ik wil, zijn mijn schoenen en terug naar huis.'
Jim en Unlucky keken elkaar ongelovig aan. 'Verder niks?' vroeg Jim.
'Verder niks. Ik wil van het schip af. Ik ben geen piraat en zal het ook nooit worden.'

Weer was alleen het ruisen van de zee hoorbaar. Gespannen keek Nick van de een naar de ander.
Toen knikte Jim kort naar Unlucky. Unlucky haalde zijn schouders op en knikte terug.
'Deal!' riep Nick. Hij stak zijn handen in de lucht maar in plaats dat Jim en Unlucky de afspraak beklonken liepen ze richting de waterbron op het eiland op zoek naar water.

Nog een gevecht

'Schip in zicht!' Opgewonden geschreeuw klonk door de ramen van de kajuit.
Zwartbaard sprong op en keek naar buiten. 'Nog meer schatten!' Hebberig wreef hij zijn handen in elkaar.
'Is het niet verstandiger om eerst naar Okracoke baai te varen?' vroeg Nick voorzichtig. Hij legde de veer voor zich neer op het bureau.
'Er was toch een leger onderweg om u gevangen te nemen?' probeerde hij.
'En deze mooie buit laten lopen?' riep Zwartbaard. 'Dan zou die Maynhard zijn zin krijgen. Trouwens... ga jij me nu de les lezen?' Boos keek hij Nick aan. 'Je wordt gekort op je aandeel!' Met grote stappen liep hij de kajuit uit.
Nick stond op. Pff, gekort ... zou hem een zorg zijn. Maynhard was dichter in de buurt dan Zwartbaard wist. Morgen. Dat was de dag die Zwartbaard niet zou overleven. Of... Hij kreeg het ineens erg warm. Zou dit het schip van Maynhard soms al zijn? Als er achteruitloopschoenen bestonden dan zou ook de geschiedenis misschien steeds kunnen veranderen. Het klamme zweet brak hem uit. Wie weet stond het helemaal niet goed opgeschreven in de boeken. Zenuwachtig liep hij de kajuit rond. Hij moest zijn schoenen hebben! Hij liep naar de kast waar Zwartbaard ze in had gezet en opende de deur. Wat? Paniekerig keek hij om zich heen. Weg! Ze waren weg! Hij dook naar binnen en speurde alle planken af. Daarna de kajuit. Alle laden en kasten gingen open. Ieder hoekje werd bekeken. Nergens waren ze! Hij rende de kajuit uit.
'Daar ben je!' riep Jim. Hij greep Nick vast. 'We moeten...'

'Mijn schoenen,' schreeuwde Nick. Hij rukte zich los. 'Mijn schoenen zijn weg!' Hij wilde wegrennen maar voor hij een stap had kunnen zetten, hing hij al in de lucht.
'Rustig, opgewonden standje,' riep Jim nors. 'Daar kwam ik juist voor. Morty heeft ze aan.'
'Hij heeft ze áán!' gilde Nick. Nog wilder schopte hij naar Jim. 'Laat me gaan,' smeekte hij. 'Ik moét ze terug hebben.'
'Voor we van boord gaan, heb je ze weer terug,' snauwde Jim. 'Allemachtig man, doe eens normaal. Zwartbaard kijkt naar ons.' Nick gluurde onder Jims arm naar Zwartbaard die hen onderzoekend aankeek en liet zich toen gewillig meeslepen naar het ruim.
'Als je de aandacht op ons wilt vestigen moet je vooral zo doorgaan,' gromde Jim.
Bij de kanonnen duwde hij een stamper in Nicks handen. 'We doen mee,' fluisterde hij. 'Vanavond slaan we onze slag.'
Als er nog een vanavond komt, dacht Nick. Het stipje in de verte werd langzaam groter.

De zeilen aan boord van *De wraak van koningin Anna* werden gehesen en aangehaald. Het schip kreeg direct meer snelheid en koerste rechtstreeks op het andere schip af.
BOEM! Het waarschuwingsschot werd gegeven en de kogel belandde met een boog in de zee.
Nick greep zich vast aan de reling en stampte met zijn laarzen op het dek samen met de andere piraten. Hij zocht langs de rij mannen. Wie was Morty en waar was Morty? Helemaal achterin zag hij zijn schoenen eindelijk. Een enorme vent stampte ermee op het dek. Zijn broek stond strak gespannen over zijn gespierde dijen en zijn borstkas was zo breed dat Nick er wel drie keer in paste.
Nick kreunde. Een hopeloze zaak. Het zou hem nooit... *BOEM!* Nick dook op de grond en maakte zich zo klein mogelijk. Kanonnen! Het andere schip schoot terug! Vlak voor zijn neus spatte het water omhoog.
'Aanvallen!' bulderde Zwartbaard vanaf zijn post. 'En niemand wordt gespaard!' Hij verliet zijn plaats en beende met grote stappen het dek op naar de mannen.

De piraten legden hun pistolen aan en mikten op de stuurman. Kogels suisden langs Nicks oren.
'Zoek dekking!' riep Jim naar hem. 'Je mag nu niet gewond raken. Maar doe wel of je bezig bent.'
Met zijn hand op zijn pistool kroop Nick achteruit, ging achter een kist staan en keek eroverheen. Granaten explodeerden. Voor hem schreeuwde Zwartbaard bevelen. Zijn gezicht was omhuld door een rookwolk en zijn dolk draaide boven zijn hoofd.
Een doodskreet sneed door de lucht toen de geraakte stuurman op het aangevallen schip wankelde. Hij liet het roer los, greep naar zijn hart en viel achterover. Nog geen tel later deinde het schip als een dol geworden stier op de golven.
De tweede kanonskogel werd afgevuurd. Met volle kracht perste hij zich door de boeg van het aangevallen schip. Het hout versplinterde en schoot de lucht in. Een gedeelte stond meteen in brand. Mensen gilden en renden met emmers water over het dek. Ze blusten het vuur terwijl er nog steeds werd geschoten. Ze weigerden zich over te geven.
De haartjes op Nicks armen stonden recht overeind. Besluiteloos stond hij met zijn pistool in zijn handen. Moest hij ook schieten? Hij steunde met het pistool in zijn handen op de kist en zakte een beetje door zijn knieën. Zo leek het tenminste of hij iets deed. Hij keek naar het pistool. Op de kermis had hij wel eens met een geweer geschoten. Toen moest hij door een vierkant gaatje kijken achter op het geweer. Voor op de punt van het geweer stond dan een stipje. En als het stipje precies in het gaatje viel, moest je afdrukken en raakte je je doel. Nick zette zijn vinger om de trekker en zocht naar het gaatje. Het was er niet. Net zo min als het puntje.
'Doe ook eens wat, kleineruimtekruiper!' brulde Zwartbaard plotseling rechts van hem. Van schrik gaf Nick een ruk aan het pistool. Een knal klonk. Een vuurbal vloog uit het pistool. Rook kringelde omhoog.
Toen klonk er gevloek. Heel héél véél gevloek. Briesend en brullend stampte Zwartbaard over het dek. De overgebleven delen van zijn hoed flapperden als gerafelde franjes van een tafelkleed rond zijn hoofd.

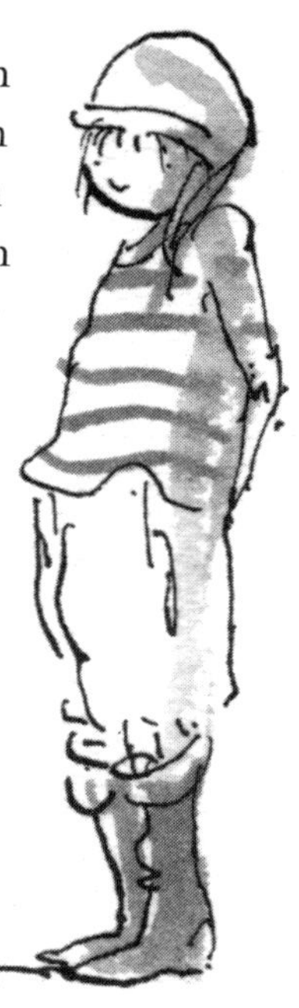

Nick keek verstijfd van het pistool naar Zwartbaard en weer terug. Had hij... Had hìj?! Zijn handen trilden toen het pistool eruit viel. Hij snakte naar adem terwijl zijn gedachten als een tol door zijn hoofd draaiden. Hij kon twee dingen doen. Flauwvallen of wegwezen. Zijn voeten waren al onderweg en gingen door tot hij niet verder kon. Bevend liet hij zich in het verste hoekje van het schip op de grond vallen en gluurde tussen zijn vingers door.
Op het voordek van *De wraak van koningin Anna* stond een rij piraten met de enorme viertandige haken klaar in hun handen.
'Enteren,' brulde Zwartbaard toen de twee schepen vlak bij elkaar lagen. Zo woest had hij nog nooit geklonken. Zo woest had hij ook nog nooit gekeken.
Nick trilde nog harder. Zijn schuld. Zwartbaard kon nu niet achter hem aan, maar na het gevecht...
De haken werden over de rand van het andere schip gegooid en onder luid geschreeuw werd het dichterbij getrokken. Op het moment dat de schepen tegen elkaar lagen, sprongen de piraten aan boord van het geënterde schip. Ze brulden en vloekten. Bijlen, messen, sabels kliefden door de lucht. Er werd gehuild en gesmeekt. Af en toe klonken er schoten. Wie niet meewerkte, werd gedood.
Nick had zijn armen in elkaar geslagen en drukte ze tegen zijn maag. 'Ik ben dood. Ik ben dood, ik ben dood,' mompelde hij schommelend heen en weer. Op het andere schip zag hij iemand hevig bloedend in zee storten. Misselijk draaide hij zich om en gaf over. Voor er een tweede golf kon komen, werd hij overeind getrokken. Unlucky hield zijn arm vast.
'Je moet terug,' snauwde hij.
'Ik kan niet,' kreunde Nick. 'Zwartbaard vermoordt me!'
'Als je hier blijft wel,' zei Unlucky.
'Ik heb hem bijna dood geschoten.' Nick kon de tranen in zijn ogen nauwelijks tegenhouden.

'Ja, het was een mooi schot,' grijnsde Unlucky.
'Hoe kun je daar nu om lachen,' schreeuwde Nick. Hij sloeg met zijn vuisten tegen Unlucky.
'Omdat...' Unlucky pakte zijn armen vast. 'Omdat je niet alleen zijn hoed aan flarden hebt geschoten maar ook een vent op het andere schip.'
Nicks armen bleven in de lucht hangen. 'Nee!' Verbijsterd keek hij Unlucky aan hopend dat hij een grapje maakte.
'Wees blij!' riep Unlucky. 'Nu denkt Zwartbaard tenminste dat je op die vent mikte en niet op hem. 'Jim en ik hebben hem natuurlijk ook een beetje geholpen om in die richting te denken.'
Nick kromp ineen. Nu was hij ook nog een moordenaar!
'Opschieten!' Unlucky duwde hem vooruit. 'Zwartbaard heeft je straks op het andere schip nodig. Dan kun je er maar beter zijn. Misschien stemt het hem wat gunstiger.' Hij duwde hem voor zich uit tot ze weer bij de anderen waren.
Bij iedere stap die Nick deed dreunde het door zijn hoofd. Moor-de-naar, moor-de-naar! Hij had niet eens gemerkt dat hij iemand had geraakt. Het enige wat hij had gezien was een brullende Zwartbaard. Misschien maar goed ook, anders zou hij dat beeld nooit meer kunnen vergeten. Had hij die man eigenlijk wel echt vermoord? Kon dat wel? Driehonderd jaar geleden bestond hij nog niet eens. Nick voelde zich iets beter bij die gedachte. Zie je wel! Hij kón het gewoon niet gedaan hebben. Hij was hier helemaal niet. Het betere gevoel verdween toen hij Zwartbaard met zijn rafelige hoed op het andere schip zag staan.
Unlucky trok Nick mee achter de bescherming van de kisten. Nick probeerde vooral niet naar het gevecht te kijken.

Na een lange strijd gaf de bemanning van het gekaapte schip zich eindelijk over. Ze ontdeden zich van hun sieraden en wapens. Kisten vol met goud, zilver en juwelen werden aan boord van het schip van Zwartbaard gehesen.
'Kleineruimtekruiper,' riep Zwartbaard ijzig. Hij priemde zijn vinger naar Nick.

Voor Nick er erg in had, voelde hij twee armen onder zijn oksels en werd hij in de lucht getild. 'Maak het hem naar zijn zin,' fluisterde Unlucky in zijn oor. 'Dan zuipt ie zich vanavond klem en vergeet ie zijn hoed. Of wat er nog van over is.' Met een boog belandde Nick op het schip. Geen leuk grapje van Unlucky.
'Opschieten,' zei Zwartbaard. 'Het schip zal zo zinken en je hebt nog wat goed te maken!'
Nick knikte braaf en rende voor hem uit. Al bij de eerste kleine ruimte vond hij een man ineengedoken in een hoekje.
'Sorry,' mompelde Nick tegen hem toen Zwartbaard hem ook zag. Glimlachend keek Zwartbaard naar de prachtige ring om de vinger van de man. Een rode robijn ingelegd tussen fijn zilverwerk.
'Neeeeeee,' fluisterde de man.
'Jaaaaaaa,' antwoordde Zwartbaard. Hij pakte de hand vast en trok hem naar zich toe. Het korte zwaard zwaaide omhoog.
Nick wendde zijn hoofd af en rende kokhalzend naar buiten. Hij kon niet meer! Achter hem schreeuwde Zwartbaard dat hij onmiddellijk terug moest komen. Maar Nick rende door naar de reling en spuugde het laatste restje eten uit. Hij klemde zich rillend vast toen het schip langzaam begon de kantelen. Hij moest terug maar zijn benen lieten hem in de steek.
Zwartbaard kwam het dek weer op en klom terug naar *De wraak van koningin Anna*. 'Dat flik je me nooit meer!' riep hij naar Nick. Die kon alleen maar naar de ring met rode robijn om Zwartbaards vinger staren en hij kotste opnieuw. Het schip zakte nog verder met zijn achtersteven in de zee. Nick stond aan de scheve reling geklampt en was tot niets meer in staat. Als hij nu ter plekke dood zou neervallen was het hem allemaal best.
'Gloeiende granaten! Het is dat je kunt schrijven!' bulderde Zwartbaard. Hij boog zich voorover en trok Nick aan een arm omhoog. Toen pakte hij hem aan een been over en hield hem ondersteboven. Nick staarde loodrecht in de klotsende golven onder hem. 'Of lig je liever op de bodem van de zee?' Boven hem was het boze gezicht van Zwartbaard. Hij liet Nick een stukje zakken. 'Niemand loopt bij Zwartbaard weg. Niemand!' Hij blies een franje weg die voor zijn

ogen bungelde. 'En niemand schiet zijn hoed aan flarden!' siste hij.
'Het spijt me zo verschrikkelijk,' fluisterde Nick.
Zwartbaard schudde hem boven het water door elkaar alsof hij een stofdoek uitklopte.
Doodsbang sloot Nick zijn ogen. Nog even en dan voelde hij het water. Dan was hij voer voor de haaien en niemand die ooit nog iets over hem zou horen. Wat er van hem overbleef, zou op de bodem van de zee zakken en langzaam vergaan. Kon het hem eigenlijk nog wel schelen? Hij was moe. Zo verschrikkelijk moe. Zwartbaard zou hem straffen. Zijn schoenen zaten om de voeten van een beul van een vent. Het vasteland was nog ver weg. En tijdens het volgende gevecht zou geen van de bemanningsleden het overleven. Hij moest de waarheid onder ogen zien. Hij kwam nooit meer terug in zijn eigen wereld. Dus naar de bodem van de zee zakken was misschien nog wel het beste. Dan was alles voorbij. En wie weet werd hij dan wel weer wakker in zijn eigen wereld. 
Hij had zich er al bij neergelegd toen Zwartbaard hem toch nog aan dek hees en hem zonder nog een blik te gunnen op de grond liet vallen.
De enterhaken werden los getrokken en brandend dreef het andere schip van hen weg tot het met een knal ontplofte. Gejuich steeg op van de *De wraak van koningin Anna* toen het uiteen viel en sissend en grommend in de zee verdween.

'Op de overwinning,' riep Zwartbaard. Hij hief een stenen kruik omhoog en nam een slok. De eerste kisten met goud werden naar beneden gesjouwd.
'Zet koers naar Okracoke eiland,' commandeerde Zwartbaard tegen de stuurman. 'En jij...' Hij wees naar Nick. 'Jij gaat met mij mee.'

Naar huis

Al snel voeren ze met de wind in de rug op volle snelheid richting Okracoke eiland. Nick zat stilletjes op de stoel tegenover Zwartbaard en wachtte zenuwachtig op wat komen ging. De kapotte hoed van Zwartbaard lag dreigend tussen hen in op het bureau. Zwartbaard had nog geen woord gezegd en speelde met de grote ring om zijn vinger terwijl hij Nick observeerde. Met moeite hield Nick een braakneiging tegen. Door het zonlicht leken er bij iedere beweging kleine rode bloedspettertjes van de robijn af te spatten. Hij wendde zijn hoofd af. Nooit zou hij het gezicht van die man vergeten toen Zwartbaard zijn korte zwaard omhoog had gezwaaid. Hij schudde zijn hoofd heen en weer alsof hij de beelden van de man eruit kon gooien. Hoe kon Zwartbaard die ring met plezier dragen?
Op hetzelfde moment haalde Zwartbaard de ring van zijn vinger. Hij greep Nicks hand, trok die naar zich toe en grijnsde. In zijn andere hand hield hij de ring uitdagend omhoog. 'Deze zal jou er voorlopig aan herinneren dat je nooit en te nimmer bij me wegloopt.'
'Nee, alstublieft,' smeekte Nick. Hij probeerde zijn hand weg te trekken maar Zwartbaard was veel sterker. Met kracht perste hij de ring om de ring- en middelvinger van Nick. 'Die ring blijft daar zitten zolang ik het zeg! Ik zal je in een volwaardige piraat veranderen. En voor mij ben je dat pas als je trots en met plezier naar deze ring kunt kijken.' Toen lachte hij. Heel hard en heel gemeen.
Nick perste zijn lippen op elkaar en staarde kwaad naar de ring. Wat een ongelofelijke rotvent was het toch. Maar hij zou hem terugpakken. Nog even en dan was Zwartbaards leven voorbij. Morgen rond deze tijd zou hij dood zijn. Hartstikke dood. Hij wist het en hij ging

het hem mooi niet vertellen. Eens kijken wie er dan zou lachen!
'En nu schrijven,' verstoorde Zwartbaard zijn gedachten. 'Snel een beetje. Ik wil het feest van vanavond niet missen omdat jij zit te treuzelen.'
Resoluut pakte Nick de veer van tafel en sloeg het logboek open. Dit was het moment om zijn voorbereidingen voor vanavond te treffen. Eén schatkist zou hij niet noteren.

Aan het eind van de dag was *De wraak van koningin Anna* de Okracoke baai ingevaren waar ze nu voor anker lagen. Vier bemanningsleden waren met de roeiboot weggestuurd. Ze moesten Zwartbaards kleinere sloep de *Adventure* ophalen die verderop in de baai lag. Nick stond aan dek toen de mannen met de sloep en de *Adventure* terugkwamen. Omdat deze boot veel wendbaarder was, konden ze het gevecht tegen Maynhard beter aangaan. Toch had deze kleine boot nog negen kanonnen aan boord.
Zodra de twee schepen tegen elkaar aan lagen gaf Zwartbaard het sein om het overwinningsfeest te vieren. Nick rende terug de keuken in om Unlucky te helpen. Het belangrijkste was nu dat niemand zonder drank kwam te staan. Hij sjouwde rond met de rumkannen en schonk steeds weer opnieuw bij.
Op het dek werd gegeten, muziek gemaakt, gedanst en gedobbeld. De rum werd naar binnen gegoten alsof het water was. Toen Nick voor de zoveelste keer terug kwam in de kombuis om bij te vullen, verkruimelde Unlucky iets in de rum.
'Wat doe je erin?' vroeg Nick.
'Iets wat ze heel erg slaperig maakt,' antwoordde Unlucky. 'Breng deze kan als eerste bij Zwartbaard. En kom dan de rest halen. Let er wel goed op dat ze allemaal van dit spul krijgen. Dan is iedereen binnen een uur onder zeil en kunnen wij... Nou ja, je weet wel.'
Nick rende naar boven het dek op en zocht Zwartbaard. Het werd al donker en de mannen werden steeds luidruchtiger. Sommige hadden zelfs ruzie. De drank begon zijn werk te doen.
Aan het eind van het dek zat Zwartbaard te dobbelen met een paar mannen. Nick liep er naartoe en pakte de kroes van Zwartbaard op om hem bij te vullen.

'Ik dacht al, waar blijft hij toch?' gromde Zwartbaard. Hij trok de kan uit Nicks handen en zette hem aan zijn lippen. Gulzig klokte hij alles naar binnen en gaf de lege kan weer terug. 'Meer,' riep hij. Nick was al onderweg. Maar toen hij met de volgende kan naar boven kwam zag hij nog net dat Zwartbaard gapend en zwalkend over het dek naar zijn kajuit liep. Snel bracht Nick de rum naar de andere mannen. Wat Unlucky er ook in had gedaan...het werkte goed.

Een uur later stapte Nick voorzichtig over de silhouetten van de snurkende piraten op het dek. Ze lagen door en over elkaar. Sommige lagen zo innig ineengestrengeld dat ze wel een verliefd stelletje leken. Hij wendde zijn hoofd af toen hij er twee zag liggen. Hij

had er best bij willen zijn als ze wakker werden en ontdekten dat de mooie vrouw die ze vasthielden in werkelijkheid een lelijke harige kerel was. Zou je ze horen brullen. Snel rende hij naar de hut van Zwartbaard en gluurde door het ruitje. Zwartbaard lag op zijn bed. Zijn armen en benen gespreid en in diepe slaap.
Met de lantaarn in zijn hand zocht hij Jim en Unlucky. Hij vond ze in de kombuis.
'Iedereen slaapt,' zei Nick.
'Zeker weten?' vroeg Unlucky.
Nick knikte. 'Ik heb twee keer het hele dek over gelopen.'
'Dan moeten we nu meteen een van de kisten naar boven halen,' zei Jim. 'Gaan jullie mee?'
'Ik moet eerst mijn schoenen hebben,' zei Nick.
'Wat wil je nu liever,' gromde Unlucky. 'Je schoenen of van het schip af.'
'Ik...'
'Als je maar niet denkt dat we op je wachten,' zei Jim. 'Zodra we die kist in de sloep hebben, varen we af. We nemen al een enorm risico en kunnen niet ook nog eens wachten tot jij je schoenen hebt.'
'Ben op tijd terug,' riep Nick. Hij rende het trapje op naar het dek en slingerde zich een weg door de snurkende piraten naar de punt van het schip. Daar had hij Morty voor het laatst gezien maar nu leek hij verdwenen. Hij zou toch niet ergens anders op het schip zitten? Dan moest hij alle ruimtes doorzoeken maar Jim en Unlucky zouden niet zo lang wachten.
Haastig liep hij verder en schopte per ongeluk tegen een lege rumkan aan. Roffelend rolde hij over het dek om een stukje verderop tot stilstand te komen. De piraat die hem had vastgehouden murmelde wat, liet een enorme boer en draaide zich op zijn andere zij. Nick hield even in maar toen er verder niks gebeurde zocht hij door.
Snel sprong hij over de lichamen en rende naar de ruimte waar de hangmatten van de bemanning hingen. De ruitjes van de lantaarn waren zo goor dat er nauwelijks licht van de kaars doorheen kwam. Nick ging op het gesnurk af. Eerst speurde hij de vloer af. Morty

zou ze toch wel uitgetrokken hebben of was hij daar te dronken voor? Niets te zien. Met de lantaarn voor zich, liep hij langs de hangmatten.
Daar! Hij hield de lantaarn een stukje van zich af en het flauwe lichtje scheen op een van de achteruitloopschoenen. De andere lag onder het dijbeen van Morty gevouwen. Nick kreunde zacht. Waarom had die sukkel ze niet gewoon uitgedaan!
Hij zette de lamp naast zich neer op de grond en begon de veters van de vrije schoen los te peuteren. Dat ging goed. Voorzichtig trok hij de veter zo los dat de schoen open kwam te staan. Hij veegde het zweet van zijn voorhoofd voor hij twee handen om de schoen zette. Heel langzaam trok hij de schoen van de voet.
YES! De eerste was gelukt. Morty had niet eens bewogen. Maar nu? Hij pakte de lantaarn van de grond. Eerst moest dat been van de schoen af zodat die vrij kwam te liggen. Hij pakte de voet van Morty en probeerde hem langzaam naar zich toe te trekken. Geen beweging. Wel een zacht gekreun. Nick hield meteen op en wachtte tot het gesnurk terugkeerde. Jim en Unlucky waren nu vast al op het dek. Hij begon nog harder te zweten. Zodra ze de kist ingeladen hadden, gingen ze weg. Dat had Jim duidelijk gezegd. Het water liep nu in straaltjes van zijn rug. Hij móest van het schip af! Met de schoenen. Met twee handen greep Nick opnieuw het been van Morty en gaf er een ruk aan. Dan maar zo.
'Wat?' riep Morty ineens terwijl hij zich half dronken overeind hees. Met een hoofd dat los op zijn nek wiebelde keek hij naar zijn voeten.
Snel dook Nick ineen achter de hangmat, bedekte de lamp en wachtte af.
'Hihihi,' giechelde Morty. 'Zie mij nou toch eens liggen.' Hij wees met een zwabberende vinger naar zijn voeten. 'Een aan en een uit. Hihihi. Aan uit, uit en aan. Moet ik die ene weer aantrekken of... waar is ie eigenlijk?'
De hangmat zwaaide gevaarlijk heen en weer toen hij over het randje dook. 'Oh, hihihi. Dag schoen. Kom je weer boven bij papa?' Hij zwaaide een been over de hangmat.

‘Kop dicht, Morty!’ schreeuwde iemand verderop.
‘Oké!’ zei Morty. Met een plof viel hij terug in de hangmat.
Nick hield zijn adem in en wachtte tot hij het gesnurk weer hoorde. Snel keek hij over het randje. De voet lag nu vrij.
Vlug knoopte hij de tweede veter los en trok de schoen van de voet. Morty murmelde nog wat en draaide zich om. Nick griste de andere schoen van de grond en rende richting de sloep.
Jim en Unlucky duwden de boot net over de rand en lieten hem een stukje zakken tot aan de reling.
‘Snel,’ siste Jim. Nick gooide zijn schoenen in de sloep en klom er zelf achteraan. In het midden stond de kist verborgen onder een oud stuk zeil. Hij nam het touw van Jim over toen die in de sloep klom. Als laatste stapte Unlucky erin. Langzaam lieten ze de boot aan de touwen naar beneden zakken. Plons! Het water spatte op en het bootje schommelde heen en weer.
Nick en Unlucky maakten de touwen van het schip los terwijl Jim de roeispanen pakte en begon te roeien. Unlucky zette zijn houten poot tegen *De wraak van koningin Anna* om hen een beetje op weg te helpen.
Nick keek hoe ze van het schip wegvoeren. Zuchtend liet hij zijn rug tegen de kist aanvallen. Eindelijk! Het was hem gelukt! Opgelucht luisterde hij naar de roeispanen die gelijkmatig door het water gleden. De zee klotste met kleine golfjes tegen het bootje, de maan schitterde op het water en het prachtige schip met de drie masten zakte steeds verder naar de achtergrond. Zo, in het maanlicht, was het net het plaatje uit het boek waarin hij bij Lula had zitten lezen. Een glimlach kroop rond zijn mond. Lula... ze zou hem niet geloven als hij dadelijk weer voor haar stond. De glimlach verdween. Maar hij zou haar ook vertellen dat het levensgevaarlijk was geweest! Het had maar weinig gescheeld of hij was nooit meer teruggekomen. Het is dat Zwartbaard de schoenen niet overboord had gegooid want anders...
Unlucky hield de telescoop voor zijn oog en speurde het schip af. ‘Nog geen beweging. Slim van je om die andere telescopen te verstoppen,’ zei hij. ‘Mocht er iemand vroegtijdig wakker worden, dan

kunnen ze vanaf het schip nooit precies zien wat we doen.'
'Het lijkt me sterk dat er iemand eerder wakker wordt,' grinnikte Jim. 'Ik heb je nog nooit zo gul gezien met de rum. Jammer dat ik niet mee kon drinken.'
Jim deed nog een paar slagen voordat ze uiteindelijk vastliepen op het zand.
Nick en Jim sprongen in de branding en trokken de boot het eiland op. Unlucky klom eruit en gleed met zijn houten poot uit in het zand. Hij gromde en krabbelde weer overeind. Samen met Jim trok hij de kist uit de boot. Nick pakte de kijker en tuurde voor de laatste keer naar het schip. Dat was het dan. Zijn avontuur in 1718. Bemanningslid van een piratenschip, hulpje van Zwartbaard, moordenaar... Hij slaakte een gil en sloeg zijn hand voor zijn mond.
'Wat?' riepen Unlucky en Jim tegelijk. Ze draaiden zich om naar het schip.
'Wat zie je,' siste Jim. Hij rammelde aan Nicks arm. Nick liet de kijker snel zakken.
'Nee niets, maar ik dacht, ik dacht...' hakkelde hij. 'Ik heb vanmiddag een man dood geschoten!'
'Kanonkogels nog an toe!' riep Unlucky. 'Is dat alles?'
'Is dat alles?' herhaalde Nick boos. 'Voor jullie is het misschien niks, maar ik heb nog nooit iemand vermoord hoor!'
'Dat klopt,' grijnsde Jim. 'Ik was het die die vent overboord schoot. Dat leek me wel een goed idee toen je Zwartbaards hoed aan flarden schoot.'
Nick liet de kijker zakken. Hij kon Jim wel zoenen maar tegelijkertijd werd hij kwaad. 'Waarom heb je me dat niet eerder verteld!'
'Wat maakt het nou uit,' zei Jim. 'Hij was toch wel dood gegaan toen het schip zonk.'
'Doet het jullie dan helemaal niks!' riep Nick. 'Het zijn wel mensenlevens waar je over praat hoor! Hoe zou je het vinden als jullie op dat schip hadden gestaan en je werd overvallen en je moest al je spullen aan een stel woestelingen afgeven en je werd nog gedood ook!'
Jim en Unlucky keken elkaar een beetje schaapachtig aan.

'Moeten ze maar niet op zee varen met die waardevolle spullen,' antwoordde Unlucky. 'Kan ze ook niks gebeuren.'
Nick schudde zijn hoofd. Met die twee viel geen redelijk gesprek te voeren. Hij bukte en pakte zijn schoenen uit de boot terwijl Jim en Unlucky de kist op het strand zetten. Op het zand trok hij snel zijn laarzen uit. Hij wilde geen minuut langer blijven.
Verderop stonden Jim en Unlucky met elkaar te fluisteren.
'Nou, dan ga ik maar,' zei Nick toen hij zijn schoenen aan had. Een wee gevoel klom van zijn buik omhoog naar zijn maag. Gek, maar hij zou ze best een beetje missen.
'Nog niet,' zei Jim. Hij deed een stap naar Nick. 'Unlucky en ik hebben het er zojuist over gehad, en we willen dat je eerst nog mee teruggaat naar het schip. Als Zwartbaard je mist, krijgt hij argwaan en gaat dan vast op onderzoek. En we vinden dat wij dan teveel risico lopen omdat wij degenen zijn die op jou moesten passen.'
'Oh nee!' riep Nick. 'Ik ga echt niet meer terug. Ik zet geen voet meer op dat schip.' Hij deed een paar stappen bij de mannen vandaan. 'En geloof me... jullie doen er verstandig aan om ook niet meer terug te gaan.'
'Zwartbaard vergeet zijn verraders niet,' antwoordde Jim. 'Het is slimmer om pas over een paar weken te zeggen dat we willen stoppen. Dat wekt geen argwaan.'
'Er komen geen volgende weken!' riep Nick. 'Morgen is Zwartbaard dood. En wij ook, als we teruggaan.'
'Voor een klein mannetje als jij heb je verdraaid veel fantasie.' Jim raakte zo te horen een beetje geïrriteerd.
'Gaan we die kist nog begraven of hoe zit dat,' gromde Unlucky.
'Sorry,' zei Nick. Hij kon hen niet verder helpen, en als ze niet wilden luisteren... 'Ik moet nu echt gaan.' Hij sloot zijn ogen.
'Wicca heden!' riep hij hard. Gebeurde er iets? Voorzichtig opende hij een oog. Voor hem stonden Unlucky en Jim hem met open mond aan te kijken. Hoe kon dat nu?
'Wicca heden!' Niets.
Jim kwam op hem af.
'Help me dan!' riep Nick tegen zijn schoenen. 'Doe dan wat!' Hij

veegde zijn haar uit zijn gezicht waarbij een van zijn krullen achter zijn vingers bleef haken. 'Wicca heden!' Er gebeurde niets. Hij kreeg het bloedheet en probeerde zijn hand uit zijn haar te bevrijden. Hij trok zo hard dat er een pluk uit zijn hoofd meekwam. Nick keek naar het bosje haar dat om de rode robijn geslingerd zat. De ring! Daarom werkten de schoenen niet. Hij deed nog een paar stappen achteruit, trok de ring van zijn vingers maar tegelijkertijd greep Jim hem vast.
'Je gaat wel met ons mee. Het was jouw idee. We nemen een enorm risico en daarom moeten we eerst zeker weten dat Zwartbaard geen argwaan heeft.' Hij duwde Nick op de grond. Unlucky kwam erbij en terwijl Jim Nick vasthield, trok Unlucky de schoenen van Nicks voeten.
'Nee,' gilde Nick. Hij probeerde te schoppen en te slaan maar Jim was veel sterker.
'Alleen zo weten we dat je ons niet in de steek laat,' zei Jim. Hij knoopte de veters van de schoenen aan elkaar, slingerde ze om zijn nek en liep weg.
Voor Nick zat er niets anders op dan de mannen te volgen.

Woedend stampte hij op zijn blote voeten door het zand. Stomkop, sukkel, knurft... schold hij zichzelf uit. Je had al terug kunnen zijn! Wat een ongelofelijke dombo was hij toch dat hij die ring niet eerder van zijn vingers had getrokken. Hij liet de ring door zijn hand rollen en volgde grommend het spoor dat Unlucky met zijn houten poot door het zand trok. Voor hem sjouwden de mannen de kist richting het bos. Bovenop lagen twee scheppen. Toen ze eindelijk bij de rand van het bos kwamen, zetten ze de kist neer.
'Vanaf hier ga ik het uitmeten,' zei Jim. Tevreden wees hij met zijn vinger naar een niet zo grote steen die voor hen lag.

Nick liep naar de steen en raapte hem op. Met een boog gooide hij hem een paar meter verder. 'Niet zo slim,' gromde hij. 'Voor je hier terug bent, kan die ergens anders liggen en klopt je berekening niet meer.' Hij was dan een sukkel maar deze twee waren nog erger. Waarom hielp hij hen eigenlijk? Ze luisterden niet eens naar hem. Ze overleefden het gevecht morgen toch niet, dus konden ze de schat ook nooit ophalen. Ineens drong het tot hem door. Als zij de schat niet meer konden ophalen en niemand anders wist dat die kist hier lag dan zou hij...
Een opgewonden gevoel stroomde door zijn lichaam.
'Zie je wel dat het goed is dat je mee bent gegaan,' zei Unlucky opgewekt. 'We hebben je gewoon nodig.'
Nick antwoordde niet. In plaats daarvan wees hij naar een groot rotsblok verderop. 'Die daar lijkt me geschikter,' zei hij.
Ze verplaatsten de kist daar naartoe.
'Ik zoek wel een plek,' zei Jim. 'Ik ben zo terug en dan begraven we hem met ons drieën.'
'Geef me mijn schoenen maar,' probeerde Nick. 'Die zitten je toch alleen maar in de weg als je gaat uitmeten waar je de kist gaat begraven.'
Jim keek Nick aan. 'Als je echt zo graag naar huis wilt, kun je ook zonder deze schoenen,' zei hij. 'Volgens mij is er wat anders aan de hand maar zolang je dat niet aan ons vertelt...'
Nick staarde naar zijn blote tenen. 'Zonder die schoenen kan ik niet naar huis,' mompelde hij.
'Wat een onzin,' zei Jim. 'Je kunt nu toch ook lopen.'
Nick zweeg.
'Ga nou maar,' gromde Unlucky tegen Jim. 'Kan jou die schoenen nou schelen. Hij blijft nu tenminste bij ons en dat is wat we willen. Trouwens, we moeten opschieten.'
Hij duwde Jim richting het bos.
'Je hebt gelijk.' Jim pakte zijn kompas en zette een grote stap. 'Een, twee, drie, vier...' telde hij elke stap hardop, terwijl hij langzaam in het bos verdween.
Nick zakte neer aan de achterkant van de rots. Unlucky deed het

deksel van de schatkist open en gaapte verheerlijkt naar al het blinkende spul. Met een boog wierp Nick zijn ring erin. Die mochten ze houden! Of beter. Die haalde hij, als hij terug was in zijn eigen tijd, zelf wel op.
Hij pakte een klein steentje van de grond en schraapte ermee langs de achterzijde van het rotsblok. Het liet kleine lichte streepjes achter. Hij moest nog even geduld hebben. Pas als hij wist waar de kist begraven was, moest hij nogmaals proberen zijn schoenen terug te krijgen. Opnieuw dacht Nick eraan dat hij eigenlijk al bij Lula had kunnen zitten. Dan had ze vast een kom warme chocolademelk gemaakt terwijl hij al zijn avonturen vertelde. Maar dan had hij niet geweten waar de schat begraven was. Nick kraste en kraste met het steentje. Lula... Zou ze ongerust zijn? Zou ze naar de politie zijn gegaan om te vertellen dat het haar schuld was dat hij weg was. Nee, natuurlijk niet. Niemand zou haar verhaal geloven. Het steentje stopte met krassen. Had ze eigenlijk wel beseft in wat voor gevaarlijke situaties hij terecht had kunnen komen? Ze kende die piratenverhalen toch ook allemaal? Nick drukte het steentje nog harder in de rots. Venijnig snerpte het over het rotsblok. Hij had wel dood kunnen zijn. Overboord geslagen of neergeschoten. En dat kon nog steeds. Als Maynhard morgen kwam... Nick werd steeds woester. Hij moest zijn schoenen hebben.
'Gevonden!' Nick stopte met krassen.
Met grote passen kwam Jim terug. Hij pakte een kant van de kist vast en wachtte tot Unlucky de andere kant vast had.
'Zestig stappen noordwaarts,' zei Jim, 'en dan twintig naar het oosten. Dan kom je tussen drie naaldbomen uit. 'Precies voldoende ruimte.'
Nick gooide het steentje waarmee hij had zitten krassen weg. Op de achterkant van het rotsblok stond met diep ingekerfde letters LULA geschreven. Hij sprong op en volgde de mannen.

De buit was begraven en ze moesten zo snel mogelijk terug naar het schip nu het nog donker was. Nick liep achter de mannen aan naar de boot en wachtte op het moment dat hij de schoenen kon terug-

pakken. Jim en Unlucky schonken geen aandacht aan hem en kletsten over de verborgen schat. Toen ze beiden tegelijk naar het schip keken dook Nick achter op Jim en trok zijn schoenen van zijn nek.
'Hé,' schreeuwde Jim. Hij graaide naar Nick maar die sprong weer van zijn rug op het zand. Nu naar de bosrand. Hij zette twee stappen en toen stak Unlucky zijn houten poot naar voren. Het volgende ogenblik hapte Nick in het zand en hingen er twee boze gezichten boven hem.
'Laat me gaan!' smeekte Nick.
Unlucky trok hem overeind. 'We hebben je al uitgelegd waarom dat niet kan!' snauwde hij.
'Zwartbaard mist me morgen niet eens,' riep Nick. 'Die is veel te druk met de aanval op Maynhard.'
'Precies! En wie denk je dat dat allemaal in het logboek moet opschrijven?' Jim trok de schoenen uit Nicks handen. Daarna greep hij hem in zijn nek en duwde hem voor zich uit. 'Jij gaat met ons mee terug. Over een paar weken gaan we ergens aan land. Dan kun je gaan en staan waar je wilt.'

Nick en Jim duwden de sloep terug in het water. Zij gingen en hij moest mee. Maar zodra bleek dat Zwartbaard geen argwaan had, zouden ze hem helpen om terug aan land te gaan. Alsof hij daar wat aan had na morgen. Somber staarde hij naar het schip dat bij iedere slag van de roeispanen dichterbij kwam. Zijn graf. Zijn doodskist. Hoe zou hij aan zijn einde komen? Werd hij neergeschoten? Gevangen genomen en berecht?
Unlucky had de telescoop gepakt en tuurde het schip af. 'Nog steeds geen beweging,' zei hij zachtjes. Jim liet de sloep uitglijden in het water en trok de roeispanen aan boord. Unlucky greep een van de touwen vast. Nick pakte de ander en gaf hem over aan Jim. Zij waren veel sterker dan hij en konden de sloep via de katrollen omhoog takelen. Nick trok zijn laarzen aan. De achteruitloopschoenen schoof hij zonder dat Jim en Unlucky het in de gaten hadden onder het zeil in de punt van de sloep. Dat leek de meest veilige plek voor dit moment.

Unlucky en Jim takelden de sloep naar boven. Zodra ze bij de rand waren, gluurde Nick over het randje naar het dek van *De wraak van koningin Anna*. Het zag er nog precies hetzelfde uit als toen ze het schip verlaten hadden. Zachtjes klom hij op het dek, bond de touwen vast en wachtte tot Jim en Unlucky bij hem waren.
'Ik ga slapen,' fluisterde Jim. 'Dan word ik tussen de anderen wakker en wekt het geen argwaan.'
'Goed idee,' fluisterde Nick terug. Als zij gingen slapen, kon hij mooi terug naar het eiland. Hij wist nu hoe hij de sloep te water moest laten. 'Ik ga ook slapen.'
'Dacht het niet,' antwoordde Unlucky. Hij duwde Nick voor zich uit. 'Jij helpt mij een lekker stevig ontbijt voor Zwartbaard en de bemanning klaar te maken.'

Naar huis (nieuwe poging)

Met een vies gezicht pakte Nick een stapel scheepsbeschuit op. Jakkes! Er krioelden tientallen beestjes in. Hij gooide ze in de afvalbak en veegde zijn handen direct daarna aan zijn broek af. Wel tien keer keek hij of er niet zo'n wiebelig ding op of tussen zijn vingers was achtergebleven.
'Wat doe je nou?' riep Unlucky. Verbaasd keek hij naar het scheepsbeschuit in de afvalbak.
'Er kruipen wurmen in rond,' antwoordde Nick. 'Van die smerige witte kleine wurmen.'
'Een beetje extra vlees kan geen kwaad,' gromde Unlucky. 'De mannen zien het toch niet in de schemer. Pak ze er maar weer uit. Scheepsbeschuit vult de maag goed.'
Met zijn lippen op elkaar geperst viste Nick ze weer tussen het andere afval vandaan. Bah!
Unlucky was bezig een stevig ontbijt van eieren te maken. De beste oplossing voor hoofdpijn na het drinken van te veel rum vond hij. Want hoofdpijn zouden de meesten wel hebben. Nick legde de beschuiten op een paar houten planken.
'Schiet eens op,' zei Unlucky. 'Ik heb meer eieren nodig.'
Nick pakte de eieren en brak ze. Toen hij er genoeg in een kom had zitten, klutste hij ze met een soort houten garde kapot. Ondertussen vroeg hij zich verwoed af hoe hij nu van boord kon komen. Vandaag was de dag dat Zwartbaard werd aangevallen. Hoe kwam hij weg zonder dat iemand het door had. In het daglicht kon hij heus niet zomaar onopgemerkt met de sloep wegvaren.
De garde klutste nu zo hard dat het eimengsel over de kom heen schoot. Unlucky trok de kom uit zijn handen. Hij wilde iets zeggen

maar hield zijn hoofd ineens schuin. 'Sst,' siste hij. In de verte klonk de stem van Zwartbaard die om de kleineruimtekruiper riep. Unlucky gebaarde naar Nick dat hij moest gaan.
Het was niet iets waar Nick veel zin in had maar er zat niets anders op. Hij zette een paar passen richting de deur toen hem iets te binnen schoot.
'Mijn hand!' riep hij. 'Hij mag mijn hand niet zien. De ring is er vanaf. Wat moet ik zeggen?'
Unlucky griste een oude lap van een plank, haalde hem snel door het eimengsel en wikkelde hem om de hand van Nick. Met een paar touwtjes bond hij het vast. 'Zeg maar dat je hem verbrand hebt. Ei verkoelt.' Nick keek naar het druipende eimengsel dat in slierten van de doek afliep en realiseerde zich toen met een schok iets.
'Het was mijn andere hand!' Maar de deur van de kombuis ging al open. Zwartbaard stak zijn hoofd naar binnen. Hij wees op Nick. 'Meekomen! Nu!'
Nick slikte en keek naar Unlucky. Die stond alweer met zijn rug naar hem toe in de pan te roeren. Met zijn verbonden hand achter zijn rug liep Nick richting de deur. Met grote stappen beende Zwartbaard over het dek naar zijn kajuit. De mannen die nog op het dek lagen te slapen kregen op zijn route een trap van hem. 'Wakker worden, stelletje luiwammesen!' schreeuwde hij. 'Klaarmaken voor de aanval!'
Nick volgde zo snel mogelijk en probeerde de overeind krabbelende bemanningsleden te ontwijken terwijl hij over hen heen sprong. Hij liet de kreunende geluiden achter zich toen hij Zwartbaard de kajuit in volgde en de deur met een zachte klik achter zich in het slot liet vallen. Zwartbaard wreef met een hand over zijn voorhoofd en wees met zijn andere hand op het logboek toen hij zich in zijn stoel liet vallen.
Nick ging achter het bureau zitten, trok het boek naar zich toe en opende het bij de laatst beschreven bladzijde. Hij pakte de veer en doopte hem in de inkt. Snel trok hij de lantaarn met kaars iets dichterbij. Het vage licht van de kaarsvlam flikkerde schaduwen over de bladzijde. Het zou moeilijk worden om duidelijk en recht te schrijven.

'21 november,' dicteerde Zwartbaard. '06...' en toen stopte hij. Met een schuin hoofd en geknepen ogen keek hij naar de schrijfhand van Nick. 'Waar is mijn ring!'
De veer schoot uit over het blad. Nick kneep de schrijfpen haast fijn en stak zijn verpakte hand in de lucht. 'Hier,' mompelde hij. 'Ik had hem om mijn andere vingers gedaan anders kan ik niet goed voor u schrijven. En deze hand heb ik zojuist in de kombuis verbrand. Unlucky heeft hem ingepakt om te koelen met een speciaal soort...'
Nick stopte toen hij zag dat het eimengsel langzaam een steeds langere draad trok tot de zwaartekracht er een eind aan maakte en het in een klodder uiteen op het bureau neer spatte. 'Een speciaal middeltje tegen verbranding,' mompelde hij. Snel veegde hij het bureau met zijn T-shirt schoon.
Zwartbaard keek hem doordringend aan.
Nick hield de veer in zijn andere hand omhoog. 'U was gebleven bij 06...' Zwartbaard boog zich naar hem toe, greep zijn verbonden hand en kneep er hard in.

‘Auwauwauwauw!’ riep Nick.
‘Als ik merk dat je de ring bent kwijtgeraakt dan doe ik je nog veel meer pijn,’ gromde Zwartbaard.
‘Ik ben hem niet kwijt,’ riep Nick. ‘Echt niet. Daar is hij veel te mooi voor.’
‘Precies wat ik vind,’ gromde Zwartbaard. ‘Nou waar wacht je nog op? Schrijven. 06.00 uur...’
Snel schreef Nick verder. ‘Om 07.00 uur stappen de volgende bemanningsleden over.’ Er volgde een rij met namen van de beste vechters. Bij de naam van Jim haperde de veer even. ‘Zet met hen de aanval in tegen Maynhard die vandaag de baai in zal varen. Zal hem een kopje kleiner maken.’ Daarna viel er een stilte. Nick staarde naar Jims naam op het papier. Hij moest hem waarschuwen. Hij zou het niet overleven.
‘Wat zit je nu te staren?’ gromde Zwartbaard. ‘Wil je soms ook mee?’
De veer viel uit Nicks handen. ‘Nee!’ Snel hield hij zijn verbonden hand omhoog. ‘Ik zou maar in de weg lopen.’
Zwartbaard wreef met zijn hand over zijn baard. ‘Misschien,’ mompelde hij. ‘Misschien ook niet. Ik denk er nog even over na.’ Hij leunde achterover en sloot zijn ogen.
Zenuwachtig keek Nick om zich heen. Het zou toch niet gebeuren dat hij ook mee moest. Wat kon hij nu zeggen om Zwartbaard te overtuigen dat het een heel, héél slecht idee was. Hij opende zijn mond en sloot hem weer. Soms was het beter om niets te zeggen.
‘Wat zit je nu nog hier,’ gromde Zwartbaard ineens. Nick schoot overeind. Hij strooide wat zand over de bladzijde en zette de veer terug. Snel duwde hij zijn stoel naar achteren en liep naar de deur.
‘Wat denk je,’ riep Zwartbaard hem na. ‘Ga ik hem verslaan?’
Nick bleef met zijn rug naar Zwartbaard stilstaan. Waarom stelde hij die vraag aan hem? Zou hij toch bang zijn voor luitenant Maynhard ook al zei hij van niet?
‘Er is er maar een de beste,’ zei hij zacht.
‘Precies,’ riep Zwartbaard. ‘En dat ben ik! Vanavond zal ik je woord voor woord vertellen hoe ik luitenant Maynhard een kopje kleiner

heb gemaakt en dat mag jij letter voor letter noteren in mijn logboek. Na vandaag weet ik zeker dat ze over honderd jaren nog steeds over mij zullen praten.'
'Als alles goed afloopt, ik in elk geval,' mompelde Nick.

Buiten op het dek was niets meer te zien van het feest van gisteravond. Langzaam kwam de ochtendschemer en in de kombuis deed de bemanning zich tegoed aan de maaltijd. Nick durfde haast niet te kijken naar de mannen die het scheepsbeschuit naar binnen werkten. Al snel had iedereen weer praatjes en gonsde het van de verhalen over het komende gevecht. Allemaal wilden ze wel helpen om die Engelse luitenant te verslaan. En allemaal vonden ze zich goed genoeg om tegen hem te vechten. Nick vond Jim tussen hen en probeerde hem mee naar buiten te krijgen maar Jim duwde hem weg. 'Ik moet je spreken,' fluisterde Nick.
'Weet je zeker dat je mij niet moet hebben,' klonk een harde stem achter hem. Voorzichtig keek Nick achterom en zag een paar gespierde benen en enorme blote voeten. Langzaam keek hij langs de benen naar boven. Morty keek hem boos aan. 'Waar zijn mijn schoenen?'
'J...j...jouw schoenen?' stamelde Nick. Het werd stil om hem heen. Iedereen staarde hen aan.
'Oké, ze waren van jou,' bond Morty in. 'Maar ik heb ze van de baas gekregen. Waar zijn ze gebleven?' Hij greep Nick vast en zijn vingers persten zich in zijn bovenarm.
Nick opende zijn mond maar voor hij iets kon zeggen schoot Jim hem te hulp
'Weet je dat dan niet meer?' riep Jim.
'Wat?'
'Je hebt ze vannacht overboord gegooid.'
Morty's mond viel open en hij liet Nicks arm los.
'Was je dronken?' vroeg Jim.
'Beetje,' mompelde Morty.
'Behoorlijk bedoel je. Je had ze ingezet tijdens het pokeren omdat je al je geld al verspeeld had. Toen je je schoenen ook nog verspeelde

werd je zo kwaad dat je ze uittrok en overboord gooide. 'Ik niet, dan niemand niet,' riep je.
'Zo... zo dronken kan ik niet geweest zijn,' stamelde Morty.
'Ja hoor,' ging Jim verder. 'Vraag maar aan de anderen.'
Nick durfde haast niet te kijken. Hoe kon Jim dat nu zeggen? Dadelijk was er nog iemand wakker geweest die hem over het dek had zien rennen met die schoenen in zijn hand. Hij hield zijn adem in en kruiste zijn vingers. Toen zag hij dat een aantal hun schouders ophaalden. Langzaam kwamen de gesprekken weer op gang.
Morty keek verslagen in het rond en draaide Nick toen naar zich toe. 'Zeg het alsjeblieft niet tegen de baas,' smeekte hij.

Om 07.00 uur verzamelde iedereen zich op het dek. Nick verborg zich achter een paar kisten. Zwartbaard noemde de namen van de mannen op, die met hem aan boord van de *Adventure* gingen. Nick kroop nog verder achter de kist. Als Zwartbaard hem niet zag, vergat hij hem misschien. Somber gluurde Nick naar Jim die op de andere boot overstapte. Hij had nog een paar keer geprobeerd om hem tegen te houden maar Jim was veel te opgewonden geweest om naar hem te luisteren. Hij was zo trots dat Zwartbaard hem ook had uitgekozen en rekende op een flinke beloning na de overwinning.
Nick zag hoe de laatste man aan boord klom. De roeispanen werden uitgestoken en langzaam voeren ze weg richting open zee. Daar zouden ze Maynhard opwachten.
Toen de boot ver genoeg was kwam Nick opgelucht achter de kisten tevoorschijn. Zwartbaard was hem vergeten of vond hem achteraf toch nutteloos. Normaal zou hij dat niet leuk gevonden hebben maar nu ...
Aan boord van *De wraak van koningin Anna* ging de rest van de bemanning aan het werk. Wapens werden schoongemaakt en touwen werden hersteld. Unlucky nam Nick mee naar de keuken. Na een paar uur was alles schoon en klaargemaakt voor het eten later op die dag.

Rond 10.00 uur klom Nick naar het dek. Doordat *De wraak van koningin Anna* in een baai lag kon hij de *Adventure* niet meer zien. De

zon brandde en het was windstil. Ook op het dek was het stil. Eigenlijk wel heel stil. Voorzichtig keek Nick richting de sloep. Zou hij... Een opgewonden gevoel stroomde door zijn lichaam. Hij moest zich bedwingen om niet te rennen. Schijnbaar nonchalant slenterde hij met zijn handen in zijn zakken over het dek. Maar van binnen bruiste en borrelde het. Iedere zenuw stond gespannen. Hij hield oren en ogen open. Achter een paar kisten lag iemand te slapen. Voor de rest leek het dek verlaten. Op zijn tenen liep Nick naar de sloep. Het liefst wilde hij ernaartoe rennen maar de man achter de kisten lag erg dichtbij. Voetje voor voetje schuifelde Nick langs hem heen. Het pistool van de man lag naast hem. Zou hij... Vlug keek Nick om zich heen. Niemand. Geruisloos pakte hij het pistool op en stak het achter zijn band. Na wat er de laatste keer was gebeurd, wilde hij het liever niet gebruiken maar als hij werd dwars gezeten dan moest het wel. Zachtjes sloop hij verder naar de sloep en klom erin. Zijn hart bonkte in zijn keel toen hij het zeil omhoog schoof. Daar keken de schoenneuzen hem aan. Snel liet hij het zeil weer zakken. Nu nog de boot in het water krijgen voordat iemand hem doorhad. Hij hoopte maar dat hij die boot alleen naar het vasteland kon roeien Hij had nog nooit geroeid. Zoals Jim het vannacht had gedaan leek het wel gemakkelijk. Maar toch?
Zijn vingers trilden toen hij het touw probeerde los te knopen. Het zat stijf vast. Hij zette zijn tanden in het touw en kreeg net kramp in zijn vingers toen het eindelijk losschoot. De sloep zakte aan een kant schuin omlaag en bonkte hard tegen de zijkant van het schip. De klap dreunde nog lang na. Snel, het andere touw! Hij pakte het vast en rukte het in een keer los. De touwen ratelden langs de katrollen. De sloep kwam in een vrije val. Nick kon niet anders dan zich heel goed vasthouden aan de zijkant. Meters lager belandde de boot met een plons in het water. Hij stootte zijn rug gemeen maar had geen tijd om er bij stil te staan.
'Hé!' schreeuwde iemand boven zijn hoofd.
Vlug trok Nick de touwen van de sloep los en gooide ze in het water.
'Waar ga je naartoe kleineruimtekruiper!' De zojuist nog slapende

man was ineens klaarwakker en keek hem woedend over de reling aan.
Nick graaide de roeispanen van de bodem en probeerde ze in de houders te steken. Een lukte. Voor de andere trilden zijn handen te hard.
'Dat is mijn pistool!' schreeuwde man. 'Geef terug.'
Nick zette de nog steeds losse roeispaan tegen het schip en duwde zich af. Het moest lukken! Als het nu niet lukte was zijn leven voorbij!
'Kom terug, vuile dief!' schreeuwde de man opnieuw.
Er kwam een kleine ruimte tussen de sloep en *De wraak van koningin Anna*. Toen hij te ver was om zich nog een keer met de roeispaan af te zetten probeerde hij hem opnieuw in de houder te steken. Hij kneep hem haast fijn om controle over zijn trillende handen te houden. Het lukte. Nu roeien!
Nick haalde de roeispanen aan en sloeg er wild mee in de zee. Het water spatte omhoog. De sloep draaide. Oh, nee! Hij ging weer terug!
Op het schip klonken roffelende voeten en brullende stemmen.
'Daar gaat de dief!' schreeuwde de man nog een keer.
Nick haalde uit en probeerde de sloep met zijn neus richting het eiland te krijgen. Wat ging dat moeilijk! Als hij de roeispanen te diep in het water stak leek het wel of hij zich door een laag blubber heen moest werken. Als hij ze maar half in het water stak, spatte het water omhoog en kwam hij geen steek verder. Hij duwde de riemen zo

ver mogelijk achter zich, half in het water, haalde zo ver mogelijk door. Eindelijk had hij de slag te pakken. De sloep nam afstand van het schip. Op het dek verzamelde zich een groep piraten. 'Schiet hem dood!' schreeuwde een van hen. Het volgende moment klonk er een knal en vloog er een kogel door de lucht. Nick dook in elkaar en gluurde naar boven. Woedend keken de mannen op het schip hem aan. Er werd nog een kogel afgevuurd. Nog harder roeide hij. Een van de mannen sprong overboord en zwom zijn kant op.
'Een, twee, hup,' prevelde Nick zacht voor zich uit om het ritme van de roeispanen vast te houden. 'Een twee hup, een twee hup.' De afstand werd groter. Maar de man zwom nog steeds achter hem aan. Het zweet liep in straaltjes van Nicks hoofd af.
Weer klonk er een knal en belandde een kogel vlak bij hem in het water. En nog een. Water spatte op. Nick probeerde met zijn neus op zijn knieën door te roeien.
'Stop, stelletje idioten! Straks raak je Boesty nog!'
Nick keek tussen zijn knieën omhoog. Unlucky wees met zijn hand naar de man die in het water lag.
De schoten verstomden. 'Nick, kom onmiddellijk terug,' riep Unlucky.
Nick schudde zijn hoofd en roeide door.
'We hadden een afspraak,' schreeuwde Unlucky.
'Jullie hadden een afspraak,' schreeuwde Nick terug. 'Ik niet!'
De roeispanen plonsden in het water. De zwemmer kwam dichterbij.
'Ga weg!' schreeuwde Nick naar hem. 'Ga weg of ik schiet!' Hij liet een roeispaan los en trok het pistool uit zijn riem. Zijn hand trilde toen hij op zijn achtervolger richtte.
Boesty stopte met zwemmen.
'Ik meen het,' gilde Nick. 'Ga terug!' Hij zwaaide met het pistool richting boot.
Aarzelend keek Boesty van Nick naar de bemanning.
'Hij doet het hoor,' riep Unlucky naar Boesty. 'Hij is er gek genoeg voor.'
Nick hield het pistool nu met twee handen vast om het trillen tegen te gaan.

Boesty draaide zich om en zwom grommend terug naar de boot. Nick legde het pistool op de vloer van de boot en greep de roeispanen weer. 'Een, twee, hup! Een, twee, hup!' De afstand tussen de zwemmer en hem werd weer groter. Hij roeide net zolang door tot hij voelde dat de sloep op het zand vastliep. Met een hele diepe zucht liet hij de roeispanen los. De palmen van zijn handen brandden rood en zijn armen trilden. Net zoals zijn benen. Hij haalde een paar keer heel diep adem om rustiger te worden en op dat moment kwamen de tranen. Ze liepen gewoon uit zijn ogen en biggelden over zijn wangen. Hij proefde het zout toen hij ze met zijn tong weg likte. De smaak van angst, spanning maar vooral opluchting. Na alle tegenslagen en spannende momenten op het piratenschip van Zwartbaard was het hem gelukt om aan het vasteland te komen! Nu kon hij terug. Tenminste...

Hij veegde zijn tranen met een wild gebaar weg, trok het zeil omhoog en pakte zijn schoenen eronder vandaan. Daarna sprong hij in het water. Struikelend rende hij naar het strand en liet zich in het warme zand neervallen. De schoenen klemde hij tegen zich aan. Nick keek naar het gapende gat in de linkerschoen. Wat als... Niet aan denken. Hij rukte zijn laarzen uit en trok de schoenen aan. Eerst zijn linker en toen zijn rechter. De veters knoopte hij stevig vast. Voor de laatste keer keek hij naar *De wraak van koningin Anna*. Op het dek stond een persoon zijn kant uit te kijken. Was het...? Aarzelend stak Nick zijn hand omhoog. De man op het schip zwaaide terug.

'Ik zal je nooit vergeten, Unlucky,' mompelde Nick. Toen zette hij zijn voeten stevig in het zand en kruiste zijn vingers. Als het nu maar lukte. Eigenlijk was hij te bang om de woorden uit te spreken. Te bang om uit te vinden dat de schoenen helemaal niet meer zouden werken en dat hij voorgoed in dit leven moest blijven...

Na een laatste blik op het schip haalde hij heel diep adem en sloot zijn ogen.

'Wicca heden!'

De schoenen draaiden een halve slag. Nick opende zijn ogen. De zee lag achter hem. Ze werkten! Ze werkten! En daar begonnen de

schoenen te lopen. Dit keer vooruit. Eerst langzaam, daarna steeds sneller. Vaste vormen verdwenen. Donker en licht wisselden elkaar af. Zijn oren suisden. Kleuren vervaagden tot een witte streep en geluiden klonken als muziek die te langzaam werd afgespeeld. Precies zoals de heenreis. Nick sloot zijn ogen en gaf zich over aan zijn reis naar het heden. Pas toen de schoenen stopten, opende hij ze weer.
Daar was het paarse winkeltje. Wankel liet hij zich tegen de voorpui aan vallen naast de toegangsdeur. Het bordje 'gesloten' hing er nog voor. Hij schudde zijn hoofd om zijn gedachten te ordenen. Het leek alsof hier in de tijd niets veranderd was terwijl hij toch drie dagen en twee nachten was weggeweest. Maar was dat ook zo?
Hij draaide zich om en bonkte op de ruit. 'Lula!' Nog harder bonkte hij op de ruit. 'Lula!'
Het zwarte rolgordijn schoot omhoog. De deur vloog open en Lula trok hem naar binnen.
'Je bent weer terug,' riep ze stralend. Ze pakte hem met twee handen vast en draaide hem in de rondte. Daarna trok ze hem tegen zich aan alsof ze hem nooit meer zou laten gaan. Nick maakte zich los uit haar stevige omhelzing. 'Wat ik allemaal heb meegemaakt,' riep hij.
'Was het leuk?' vroeg Lula.
'Leuk? Het was levensgevaarlijk!' riep Nick. 'Ik was bijna niet meer teruggekomen.'
'Maar je bent er nu toch weer,' riep Lula.
'Ja, maar dat scheelde niet veel. Als ik niet...'
'Ik maak snel een lekker kopje thee en jij trekt je schoenen uit,' viel Lula hem in de rede. 'Daarna vertel je me alles over je avontuur.' Ze draaide de deur weer op slot, stak de sleutel bij zich en liep naar het keukentje.
'Ik ben best wel boos op je hoor!' riep Nick haar achterna maar Lula was al verdwenen. Hij liep naar de luie stoel voor de open haard en keek om zich heen. Alle angst van de laatste dagen viel van hem af nu hij weer in de winkel stond. Een blij gevoel stroomde zijn lichaam binnen. Maar met de blijheid drong zich ook de boosheid op. Bijna had hij dit en zijn ouders nooit meer terug gezien. Bijna

was hij dood geweest. Lula moest niet denken dat ze er met een kopje thee vanaf kwam.
In de haard brandde nog steeds een vuurtje. Zelfs zijn jas lag nog op de plek waar hij hem had achtergelaten.
Op de tafel lag het boek opengeslagen bij de bladzijde waar *De wraak van koningin Anna* getekend was. Was de tijd echt stil blijven staan? Nick zakte neer op een stoel. Naast het boek lag een landkaart uitgevouwen. Hij boog zich voorover. Net zo'n kaart als er bij Zwartbaard op zijn bureau had gelegen. Voor de kust lagen de Okracoke eilanden.
Hij trok de kaart en het potlood dat erop lag naar zich toe. Met zijn vinger gleed hij langs de lange sliert eilanden. Bij een baai stopte zijn vinger. Dat was de baai waar het schip nu lag. Nu? Hij giechelde. Hij haalde de tijden nog een beetje door elkaar. Met het potlood zette hij een kruisje op de plek waar hij de boot in 1718 had verlaten. Toen trok hij een lijn naar het eiland waar hij afgelopen nacht met Jim en Unlucky naartoe was gevaren. Het was een vrij rechte lijn geweest. En een klein stukje verderop had de steen gelegen. Dus eigenlijk loodrecht tegenover het schip. Nick tekende het rotsblok op het eiland met de naam Lula erin. Daarna schreef hij de coördinaten erbij die Jim had uitgerekend. Zestig stappen noordwaarts. Twintig stappen oostwaarts. De drie naaldbomen tekende hij ook en toen zette hij een heel dik kruis in het midden. Hij liet het potlood vallen en boog zich voorover naar de schoenen. Hij knoopte de veters los en trok de schoenen uit. Een hoopje zand gleed uit het gat. Hij pakte zijn eigen schoenen, trok ze aan en viel toen uitgeput achterover in de stoel.
Lula kwam terug met een vers gebakken cake en een grote kom dampende kruidenthee. 'En...' vroeg ze opgewonden. Ze kwam tegenover hem zitten en friemelde aan haar ketting met parel. 'Heb je een schat gevonden?'
Nick knikte. 'Ik vertel je zo alles, maar eerst moet ik weten hoe lang ik ben weggeweest.'
'Drie dagen en twee nachten,' zei Lula met glimmende ogen. 'Maar vertel eens over die schat...' Haar ogen gleden over de tekening op tafel.

'Drie dagen en twee nachten...' riep Nick. Dus toch. De tijd in het verleden ging net zo snel als in het heden. Met een schok kwam hij overeind. 'Mijn ouders... ze moeten doodongerust zijn. Ik moet naar ze toe.'
'Alsjeblieft! Wacht nog even. Neem eerst een slok thee. Dat zal je goed doen.' Ze duwde de mok onder zijn neus. Maar Nick duwde haar hand weg.
'Nee, ik moet nu eerst naar ze toe. Ik kom je later wel alles vertellen.'
'Nu,' zei ze scherp. Maar daarna glimlachte ze naar hem. 'Misschien zie ik je niet meer,' zei ze verontschuldigend. 'Als je ouders weten dat je hier bent geweest mag je nooit meer naar me toe.'
'Hoe kan ik hun nu vertellen over jou en de schoenen,' riep Nick. 'Dat geloven ze nooit. En als ze het geloven, denken ze dat je me misschien behekst hebt.'
'Heksen bestaan niet,' zei Lula.
'Net zoals achteruitloopschoenen niet bestaan,' mompelde Nick.
Lula haalde haar schouders op.
'Maar ik zeg toch net dat ik dat niet zal vertellen,' probeerde Nick nog een keer.
'Aan hen misschien niet maar als de politie je gaat ondervragen...'
'De politie?' Het zweet brak bij hem uit. 'Is de politie ingelicht?'
'Nick, je bent drie dagen weggeweest,' zei Lula nu een beetje geïrriteerd. 'Natuurlijk is de politie ingelicht.'
'En heb jij hun verteld dat...' Zijn stem stokte.
'Nee, natuurlijk niet. Ze zouden me voor gek verklaren,' zei Lula. 'Maar laten we erover ophouden. Hoe sneller je mij bijpraat hoe eerder je naar je ouders kunt. Kom lieverd, het kost hooguit een kwartiertje.'
'Bijna was ik niet meer teruggekomen hoor!' riep hij.
'Niet?' vroeg ze ongelovig. 'Hoe kwam dat dan?' Ze duwde de mok in zijn handen.
Nick pakte hem aan en nam een slok van de kruidenthee. Bah! Bijna net zo vies als de rum. Hoewel, hij werd er wel rustig van. Een beetje loom zelfs. Hij nam nog een slok en leunde ontspannen achterover. Toen begon hij bij het begin.

Hij vertelde alles. Over de storm, de twee kapingen, de schat en de ring met de robijn. Op het laatst was hij zo moe dat hij de woorden nauwelijks normaal uit zijn mond kon krijgen. Hij leek wel op Jim in dronken toestand. De vragen die hij nog aan Lula wilde stellen moesten maar even wachten. Hij wilde nu echt naar huis en heel lang slapen. Wankel kwam hij overeind. Zijn hoofd leek zo zwaar als een kanonskogel en wiebelde op zijn schouders. Was dat de terugslag van die idiote reis? Was hij wel op reis geweest of had hij gewoon gedroomd? Het leek ineens allemaal zo ver weg nu hij weer in dat winkeltje zat. Hij keek naar zijn broek die er nog steeds gerafeld bij hing. Echt dus. Hij trok zijn jas aan die nog op de stoel lag. Duf nam hij afscheid van Lula en mompelde iets over dat hij snel terug zou komen. Lula opende de deur voor hem en duwde hem naar buiten.
'Ga maar gauw,' zei ze. 'Dag, jongen. Ik zal je nooit vergeten.'
'Ik kom nog terug hoor,' gaapte hij.
Lula knikte alleen maar. Toen liep hij naar buiten. Alsof hij al de hele nacht had gelopen, strompelde hij richting huis. Het schip van Zwartbaard leek mijlenver weg terwijl het in werkelijkheid nog geen uur was. Hoe zouden zijn ouders reageren als hij weer kwam binnenwandelen? Wat moest hij voor smoes verzinnen waar hij had uitgehangen? Of moest hij de werkelijkheid vertellen. Dat geloofden ze toch nooit. Eigenlijk was het wel de beste oplossing hoewel...

Thuis

'Oh lieverd, je bent weer terug!' Nicks moeder trok Nick naar binnen en omarmde hem alsof ze hem nooit meer los zou laten. 'Johan,' schreeuwde ze. 'Johan! Nick is terug! Onze jongen is terug!' Ze snikte en de tranen liepen nu over haar wangen terwijl ze Nick tegen zich aandrukte en over zijn hoofd bleef strelen. Nicks vader kwam de gang ingevlogen.

'Wil je ons nooit meer zo in angst laten zitten,' zei hij eerst nog boos. Toen werd zijn stem schor. 'Wat hebben we jou gemist! Waar ben je geweest, wat is er gebeurd?' Hij sloeg een arm om Nicks schouders en drukte hem hard tegen zich aan. Zo bleven ze gedrieën een tijdje zwijgend staan. Nick genoot ervan om de armen van zijn ouders weer om zich heen te voelen en zolang er geen lastige vragen werden gesteld kon hij des te meer genieten.

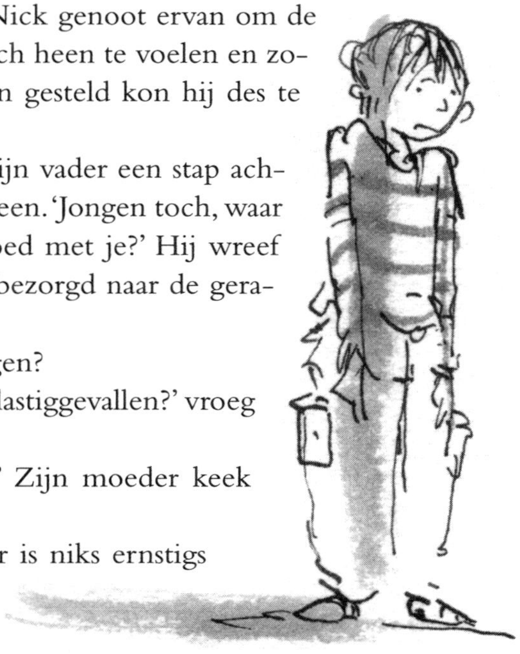

Maar na een paar minuten deed zijn vader een stap achteruit en bekeek hem van top tot teen. 'Jongen toch, waar heb al die tijd gezeten? Is alles goed met je?' Hij wreef Nick over zijn schouder en keek bezorgd naar de gerafelde kniebroek.

'Ik... eh...' Wat moest hij nou zeggen?

'Heb je problemen gehad? Ben je lastiggevallen?' vroeg zijn vader.

'Heeft iemand je iets aangedaan?' Zijn moeder keek hem paniekerig aan.

'Nee, ik ben niet lastiggevallen. Er is niks ernstigs gebeurd.'

'Oh, jongen toch!' zei zijn va-

der. 'Je bent er weer. Dat is alles wat telt.' Hij omarmde Nick nog een keer. 'Maar waar heb je nu gezeten?'
Nick twijfelde. Wat voor verhaal moest hij ophangen? Moest hij de waarheid vertellen of kon hij iets verzinnen. Op het schip was het geen probleem geweest om te liegen. Maar hier thuis, bij zijn ouders...
'Ik ben op het piratenschip van Zwartbaard geweest. Driehonderd jaar terug in de tijd.'
Zijn ouders keken elkaar met grote ogen aan. Nicks vader pakte hem bij zijn schouders en hield hem een beetje van zich af.
'Jongen, besef je wel in wat voor angst wij hebben gezeten?'
Nick knikte.
'Vind je dan niet dat je ons beter de waarheid kunt vertellen? We zijn je ouders. Je kunt ons alles zeggen. Hoe gek het ook is.'
'Dit is de waarheid,' mompelde Nick. 'Ook al klinkt het gek.'
'Die computerspelletjes,' riep zijn moeder ineens. 'Die stomme computerspelletjes. Je ging een kaart posten om een computerspel te winnen. En nu denk je dat je in het spel beland bent. Je leeft in een fantasiewereld en kan de werkelijkheid niet meer onderscheiden. Ik doe die makers van het spel wat!'
'Dat heeft er niks mee te maken,' riep Nick. 'Heus, het was geen spel. Ik heb echt op een piratenschip gezeten.'
'Piratenschepen? Hebben wij hier piratenschepen in de stad?' vroeg Nicks moeder. Vertwijfeld keek ze naar haar man.
'Niet hier, ergens anders,' zei Nick.
'Ver weg?' vroeg zijn vader.
'Driehonderd jaar en duizenden kilometers,' antwoordde Nick.
Zijn moeder keek hem aan alsof ze elk moment een zenuwinzinking kon krijgen.
'Jongen, kom eens even rustig zitten.' Zijn vader duwde hem zachtjes voor zich uit de kamer in. Toen fluisterde hij tegen zijn vrouw: 'We moeten het anders aanpakken. Laat mij maar even.'
'Goh Nick, en hoe kwam je in de tijd terug?' vroeg zijn vader quasi opgewekt terwijl ze de kamer inliepen.
'Met achteruitloopschoenen,' antwoordde Nick.

'Juist ja,' antwoordde zijn vader. Hij schraapte zijn keel langdurig en schudde zijn hoofd. 'Begrijp je dat we dat niet kunnen geloven,' vroeg hij na een poosje.
Nick haalde zijn schouders op. 'Vraag maar aan Lula. Ik had de schoenen van haar gekregen. Toen ik de locatie en datum noemde was ik er ineens en kon ik niet meer terug omdat we gingen varen,' mompelde hij. 'De schoenen werken namelijk niet als je op een schip zit. En toen heb ik een paar kapingen meegemaakt. Ik weet zelfs waar de piraten een schatkist hebben begraven en...'
'Een paar kapingen,' mompelde Nicks vader. 'Dat is wat elke jongen wel eens mee zou willen maken. Was het leuk?'
Nick keek zijn vader onderzoekend aan. 'Ging wel,' antwoordde hij. 'Veel mensen gingen dood. Dat was niet zo leuk.'
'Wie is die Lula?' vroeg zijn vader.
'Een vrouw uit het winkeltje Wicca.'
'Ken jij haar?' vroeg zijn vader aan zijn moeder.
Nicks moeder stond met open mond naar adem te happen. 'Je gelooft dit verhaal toch zeker niet!' riep ze. 'Nick lieverd, alsjeblieft. Vertel ons wat er gebeurd is. Ik moet weten of niemand je heeft lastiggevallen of pijn heeft gedaan.'
'Niemand heeft me lastiggevallen of pijn gedaan,' antwoordde Nick. 'Echt niet. Wat ik vertel is de waarheid.'
Moedeloos liet zijn moeder haar schouders zakken. 'Is het iets wat wij hebben gedaan?' fluisterde ze. 'Was je boos op ons. Ben je daarom weggelopen?'
'Jullie hebben niks verkeerd gedaan, ik ben niet boos op jullie en ik ben ook niet weggelopen. Ik was er opeens en kon niet meer terug.'
Zijn moeder slikte moeizaam maar knikte daarna een paar keer met haar hoofd alsof ze een besluit had genomen. 'Johan, kunnen we het hier even bij laten.' Ze keek haar man smekend aan. 'Alsjeblieft? Hij is nu thuis. We moeten hem misschien wat meer tijd geven. Later horen we wel wat er is gebeurd. Het lijkt me het beste als ik eerst een lekkere maaltijd voor hem klaarmaak. Denk je ook niet? Heb je eigenlijk wel gegeten en gedronken?' Ze wachtte niet eens op antwoord en rende de keuken al in.

'Goedemiddag slaapkop!' Zijn moeder deed de gordijnen in zijn slaapkamer open. Het zonlicht stroomde naar binnen en Nick rekte zich loom uit. Kanonnen, wat had hij geslapen zeg. En niet alleen geslapen. Hij glimlachte. De droom die hij had gehad mocht er ook zijn hoewel het soms wel heel erg spannend was geweest op het piratenschip. Dat hij het zich allemaal nog zo goed kon herinneren. Dat had hij anders nooit met dromen. Dan wist hij nog wel flarden maar nu was het een doorlopend verhaal geweest.
'Lieverd, je moet nu echt opstaan,' zei zijn moeder. Ze kwam naast hem op bed zitten. 'De politie is hier en wil met je praten. Misschien wil je hen wel vertellen waar je bent geweest.'
Nick schoot overeind zodra het tot hem doordrong. 'De politie?'
'Ja, lieverd, zij hebben ook al die tijd naar je gezocht. Ze willen graag weten waar je bent geweest of je niet bent lastiggevallen.'
'Ik wil niet met de politie praten,' antwoordde hij.
'Het moet echt even,' zei zijn moeder. 'Dan kunnen zij het onderzoek afsluiten en dan zijn we overal vanaf. Nou ja, wat de politie betreft dan. Wij moeten met ons drietjes nog wel eens een goed gesprek hebben. En daar gaan we hulp bij zoeken. We hebben al een heel goede kinderpsychiater gevonden. Daar kun je echt alles tegen vertellen.'
'Psychiater!' riep Nick. 'Ik ben niet gek!'

Zijn moeder keek hem met een pijnlijk vertrokken gezicht aan. 'Driehonderd jaar terug in de tijd, kapingen op een piratenschip?' mompelde ze.
Nick zuchtte. Nou ja, als hij zich aan zijn verhaal hield kon die psychiater er ook niks mee.
'We hebben het er later nog wel over,' zei zijn moeder. 'Eerst praten met de politie.'

'Dag, Nick. Ik ben rechercheur Jaap van Woensel en dit is mijn collega Derrik de Groot.'
Nick gaf de twee mannen in burgerkleding netjes een hand. Hun ogen prikten door hem heen. Dit waren geen mensen die je gemakkelijk voor de gek kon houden. Tenzij hij de waarheid vertelde...
'Hebt u er bezwaar tegen als wij even alleen met Nick spreken?' vroeg Derrik aan Nicks ouders. 'Dat praat wat gemakkelijker.'
'Tja... als Nick er geen problemen mee heeft,' antwoordde zijn vader.
'Best hoor,' probeerde Nick zo nonchalant mogelijk te zeggen maar ondertussen stuiterde zijn hart bijna door zijn ribben heen. Hoe zouden ze reageren op zijn verhaal? Hij sloot zijn ogen en haalde diep adem. Wat zeurde hij nu. Hij had twee piratengevechten overleefd en een bulderende Zwartbaard dus dit zou hem ook wel lukken.
Zijn ouders verlieten de kamer en gingen de trap op naar boven.
'Voel je je wel goed?' vroeg Jaap. Hij keek Nick onderzoekend aan.
'Ja, hoor,' zei Nick. 'Alleen nog een beetje moe.' Hij ging in de stoel zitten. De twee mannen namen plaats op de bank tegenover hem.
'We zijn blij dat je er weer bent,' begon Jaap. 'We hebben met heel veel mensen naar je gezocht maar er was geen spoor van je te vinden. Waar heb je al die tijd gezeten?'
Nick haalde zijn schouders op. 'Op een piratenschip driehonderd jaar terug in de tijd.'
'Juist ja,' antwoordde Derrik. Hij fronste zijn wenkbrauwen. 'Zoiets hadden je ouders ons ook al verteld.' Hij ging even verzitten en leunde achterover.

'Misschien kunnen we beter bij het begin beginnen. Je moeder heeft je voor het laatst gezien toen je een kaart voor een prijsvraag bent gaan posten. Waar heb je dat gedaan?'
'In een brievenbus een paar straten verderop.'
'En toen?' vroeg Jaap.
'Toen ben ik naar het winkeltje van Lula gegaan omdat er een mooi piratenschip in de etalage stond. Van haar kreeg ik achteruitloopschoenen. Daarmee kon ik terug in de tijd naar een piratenschip.'
'Juist ja.' Jaap kuchte even. 'Had dat schip ook nog een naam?'
'*De wraak van koningin Anna.*'
'Het schip van kapitein Zwartbaard,' mompelde Jaap.
'Kent u het?' vroeg Nick.
'Uit de verhalen, net als jij,' antwoordde Jaap.
'Was er een televisie aan boord?' vroeg Derrik.
Nick keek hem meewarig aan. 'Die hadden ze driehonderd jaar geleden nog niet.'
'Luister, Nick,' zuchtte Derrik. 'Ik begrijp dat je onze vragen vervelend vindt, maar we moeten wel weten wat er is gebeurd. We willen niet dat achteraf blijkt dat er veel meer is gebeurd dan jij ons nu vertelt omdat andere mensen niet willen dat jij iets zegt. Begrijp je dat?'
Nick knikte.
'Dus misschien wil je nu wat beter meewerken en de waarheid vertellen?'
'Is goed,' antwoordde Nick.
Opgelucht knikte Jaap hem bemoedigend toe. 'Heb je nog mensen gesproken?'
'Zwartbaard, Jim en Unlucky.'
'Kom op, even serieus nu,' zei Jaap.
'Ik ben serieus.'
'Heeft iemand je lastiggevallen?' probeerde Derrik.
'In het begin Unlucky, en Zwartbaard was ook niet zo heel erg aardig.'
De mannen kreunden zacht.
'Heeft iemand je tot iets gedwongen wat je niet wilde?' vroeg Jaap.
'Zwartbaard wilde dat ik achtergebleven mensen op het gekaapte schip opspoorde. Dat vond ik niet zo leuk.'

De twee politieagenten staarden moedeloos naar hun voeten.
Na een poosje keek Derrik op. 'We begrijpen best dat kinderen werkelijkheid en fantasie wel eens door elkaar halen,' zei hij vriendelijk. 'Dat is helemaal niet erg, dat hoort erbij. Maar achteruitloopschoenen bestaan gewoon niet. Dus als jij klaar bent om ons de waarheid te vertellen dan horen we het graag.'
'Het is de waarheid!' riep Nick. Hij sprong op uit de stoel. 'Ga het dan vragen bij Lula. Het zijn haar schoenen!'

Tien minuten later stond Nick samen met de politiemannen voor de etalage van Wicca.
'Waar stond dat schip precies?' vroeg Derrik.
Nick wees naar de plek waar nu een stapel boeken lag. 'Ze moet hem verkocht hebben,' mompelde hij. Teleurgesteld liep hij naar de deur. Als er iemand het schip had verdiend, dan was hij het wel en dat zou hij haar vertellen ook. De mannen volgden hem op de hielen. Het belletje klingelde toen Nick de deur opende.
'Goedemorgen,' klonk de stem van Lula. Haar rokken wapperden achter haar aan toen ze door de zaak op hen af kwam. 'Kan ik u helpen?'
'Lula, waar is het schip gebleven?' riep Nick.
'Dag jongeman,' zei Lula vriendelijk. 'Wie ben jij?'
De mond van Nick viel open. 'Nick!' riep hij. 'Ik ben vannacht nog bij je geweest!'
Glimlachend keek Lula de politiemensen aan. 'Mijn winkel is 's nachts dicht hoor. Ik moet er niet aan denken... 24-uurs service.

Nee, vannacht lag ik lekker te slapen.'
'U kent deze jongen dus niet?' vroeg Derrik.
Lula bekeek Nick van top tot teen en schudde haar hoofd. 'Zo'n leuk koppie had ik me anders vast wel herinnerd.'
'LULA!' gilde Nick nu. 'Vertel ze van de achteruitloopschoenen.'
'Achteruitloopschoenen?' Ze keek de politiemannen vragend aan. 'Waar heeft hij het over? Op mijn leeftijd kan ik de jeugd niet altijd meer volgen hoor.'
'Volgens Nick had u hier achteruitloopschoenen waarmee hij terug in de tijd is gegaan,' mompelde Jaap ongemakkelijk.
Lula begon heel hard te lachen. 'Wat een heerlijke fantasie hebben die kinderen toch nog,' riep ze. 'Achteruitloopschoenen. Wat origineel!'
Nick werd woest. Hij rende op haar af en greep haar arm. 'Vertel ze de waarheid!' schreeuwde hij.
Geschrokken deinsde Lula achteruit. Derrik liep naar Nick en pakte hem bij zijn schouders beet. 'Beetje rustig, Nick.'
'Maar ze kent me wel!' riep Nick. 'Ze liegt!' Hij rende naar de tafel achter in de zaak waar hij het piratenboek had gelezen. 'Kijk maar, hier ligt...' Hij stopte toen hij de lege tafel zag. Het boek was weg. De kaart was weg. Nick sloot zijn ogen toen de waarheid tot hem doordrong. Het schip was weg, de achteruitloopschoenen waren weg. Alles-was-weg. Er was geen bewijs meer en Lula deed alsof ze hem nog nooit gezien had. Maar waarom? Ze zou wereldnieuws kunnen worden met die schoenen. Wilde ze dat soms niet? Wilde ze de schoenen voor zichzelf houden? Moedeloos schudde hij zijn hoofd. Hij wist het niet en zolang die agenten bij hen waren zou ze het ook nooit vertellen.
'Laat maar,' mompelde hij verslagen.
Derrik knikte kort naar hem. 'Sorry voor de overlast, mevrouw. Zoals u al zei, kinderen hebben heel veel fantasie en soms slaat dat wel eens een beetje door.'

De psychiater

Nick zat op de grond in de kamer. Om zijn gedachten te verzetten bladerde hij door de kranten of hij iets kon lezen over zijn verdwijning. Hij had een stukje voor zich uit de plaatselijke krant waarin stond dat hij vermist werd. Zijn signalement stond erbij beschreven. Iedereen die hem gezien had werd verzocht contact op te nemen met de politie. De krant van een dag later had zelfs een foto van hem erbij gezet. Diezelfde foto was ook op de regionale zender getoond.
Hij sloeg net een nieuwe krant open toen zijn ouders de kamer binnenliepen. Ze hadden hun jas aan en zijn moeder hield Nicks jas in haar hand.
'We hebben over een half uur een afspraak met de kinderpsychiater,' zei ze.
'Nu al!' riep Nick. Hij had helemaal geen zin om weer voor gek uitgemaakt te worden. Niemand geloofde hem en met de psychiater zou het wel niet anders zijn.
'Het leek de politie ook het beste om zo snel mogelijk te gaan,' antwoordde zijn vader. 'En de psychiater vindt je een heel bijzonder geval dus we konden gelijk bij haar terecht.'
'Ga je mee?' Zijn moeder hield zijn jas uitnodigend omhoog.
Zuchtend vouwde Nick de kranten bij elkaar en nam zijn jas van zijn moeder over.

Het gesprek bij de psychiater duurde precies anderhalf uur. Het was een heel aardige vrouw. Terwijl zijn ouders al die tijd in de wachtkamer zaten, stelde ze heel veel vragen en schreef ze af en toe iets op een vel papier. De vragen gingen over thuis, school, zijn familie, zijn

hobby's. Alles wilde ze weten. Pas op het laatst ging ze over op zijn verdwijning. Opnieuw vertelde Nick het verhaal dat hij terug in de tijd was geweest en wat hij allemaal had meegemaakt. Als laatste had hij eraan toegevoegd dat hij precies wist waar de schat begraven was. Als hij die terug vond, moesten ze hem wel geloven.

De vrouw knikte vriendelijk en deed alsof ze het de normaalste zaak van de wereld vond. Na anderhalf uur werd hij de wachtkamer ingestuurd. Ze wilde nog even met zijn ouders apart praten.

'Geloofde ze me?' vroeg Nick toen zijn ouders na een tijdje het kamertje uitkwamen.

Zijn moeder keek hem glimlachend aan. Maar haar ogen stonden zorgelijk en een diepe rimpel fronste in haar voorhoofd. 'Ze vindt je een heel gewoon, gezond en gelukkig jongetje maar denkt dat je momenteel een identiteitscrisis hebt.'

'Een wat?' riep Nick

'Ze bedoelt dat je een beetje in de war bent,' zei zijn vader. 'Ze denkt er zelfs aan dat je in een vroeger leven misschien wel piraat bent geweest. Dat dat nu boven komt drijven enzo.'

'Een vroeger leven!' riep Nick. Wie had hier nu een psychiater nodig? Hoewel. Hij was terug in de tijd geweest dus dit kon misschien ook wel. Hij dacht even na. Zou hij zich daarom zo tot piraten aangetrokken voelen?

'Nou ja, hoe dan ook,' ging zijn vader verder. 'Ze denkt dat het misschien wel goed zou zijn als we er eens even met zijn drieën tussenuit gaan. Op vakantie. Zodat je een beetje afstand van alles kunt nemen.'

'Waar gaan we dan heen?' vroeg Nick.

Zijn ouders keken elkaar aan.

'Nou eh...' begon zijn vader. 'Het leek haar het verstandigste als jij de locatie uitzocht. Ze had het erover dat we je alle ruimte en tijd moeten geven om dingen uit te zoeken en...'

Nick luisterde al niet meer. De schat. Hij kon de schat gaan zoeken! Het bewijs dat hij niet gelogen had. Dat hij niet gek was!

'De Okracoke eilanden,' riep hij.

'Pardon?' zei zijn vader.

Ook zijn moeder keek hem vragend aan.
'Zandstranden, palmbomen, ruisende zee,' riep Nick. 'En de verborgen schat!'
Zijn moeder kromp even ineen bij het horen van de laatste opmerking maar herstelde zich toen. 'Klinkt wel goed,' zei ze onzeker. 'Waar ligt het?'
'Voor de kust van North Carolina in Amerika,' zei Nick.
'Hoe weet je dat allemaal?' vroeg zijn vader.
'Dat heb ik toch gezegd! Daar ben ik pas geweest!'

Zodra ze thuis waren holde hij naar zijn computer. Was het eigenlijk wel een vakantieparadijs in deze eeuw? Waren er wel hotels? Ongeduldig trommelde hij met zijn vingers op zijn bureau toen de computer niet snel genoeg opstartte. Eindelijk kwam het scherm voor. In de zoekmachine tikte hij *Okracoke eilanden* in. Het duurde even, maar toen kwamen er verschillende reisaanbiedingen en hotels op het scherm. Yes! Nick printte de mooiste plaatjes van stranden en hotels uit en rende met de papieren in zijn hand de trap af naar de kamer.

Zijn vader nam de papieren over en keek bedenkelijk. 'Weet je zeker dat je niet naar de Disney-parken wilt?' vroeg hij.
'Nee, ik wil de schat zoeken.'
'Juist ja, de schat,' zei zijn vader en hij keek nog eens naar de papieren. 'Wat vind jij?' vroeg hij aan zijn vrouw.
'We moeten hem de ruimte geven. Het minste wat wij kunnen doen is meewerken.'
'Okracoke eilanden wordt het!' riep zijn vader toen. 'Ik ga vanmiddag nog boeken.'

Ze waren net klaar met eten toen er gebeld werd. Zijn vader liep naar de deur. Nick wilde naar zijn kamer gaan toen hij zijn vaders stem hoorde door de kier van de kamerdeur.

'Nee, wij willen nu rust en hebben geen zin in een artikel voor de krant.'
Nick verstopte zich achter de deur en luisterde verder.
'Het is een algemeen onderzoek,' antwoordde de onbekende stem. 'Gewoon om te weten waarom kinderen van huis weglopen. Uw zoon is niet de eerste, weet u.'
'Mijn zoon moet zich eerst weer helemaal goed voelen,' antwoordde Nicks vader. 'En u zult vast wel begrijpen dat het voor ons ook een hele emotionele en angstige periode is geweest. Het is nog te vers allemaal. We willen momenteel echt alleen maar rust.'
'U zou er andere ouders mee kunnen helpen. Als we inzichtelijk kunnen maken wat de beweegredenen voor kinderen zijn om weg te lopen, hoe ze denken en wat ze ermee denken te bereiken, waar ze zich schuilhouden...'
'Sorry,' hield Nicks vader vol. 'Misschien op een later tijdstip.'
Nick hield zich zo stil mogelijk. Hij had helemaal geen zin in moeilijke vragen. Maar dat er vaker kinderen wegliepen van huis... Daar had hij nooit bij stilgestaan. Zijn bedoeling was het nooit geweest om zo lang van huis te blijven. Eigenlijk werd hij wel een beetje nieuwsgierig naar de kinderen die dat dan wel deden. Waarom liepen die zolang van huis en waar verbleven die?
De man bleef nog even volhouden maar Nicks vader hield voet bij stuk.
'Mag ik dan wel mijn kaartje aan u geven voor het geval uw zoon er ooit nog eens over wil praten?'
'Dat is goed.' Een paar tellen later sloot de deur. Snel liep Nick naar de tafel en pakte de laatste spullen die hij naar de keuken bracht. Toen hij terug in de kamer kwam, zag hij zijn vader het kaartje van de man in het bureau stoppen.

Vakantie

Een week later waren ze dan eindelijk op de Okracoke eilanden. Nick zat met zijn ouders op het strand. De tekening van de plek met de schat die hij gemaakt had, brandde in zijn hand. Hij kon haast niet wachten om de schat te zoeken maar alleen op onderzoek gaan zat er niet in. Zijn ouders verloren hem sinds zijn verdwijning geen seconde meer uit het oog. De hele afgelopen week had hij al binnen gezeten. Alleen met zijn moeder mocht hij af en toe mee boodschappen doen en dan had ze hem nog het liefste aan een halsband vastgehouden. Hij had zelfs niet meer naar Lula kunnen gaan om uitleg te vragen over haar stomme gedrag. Want dat ze hem wat uit te leggen had was duidelijk. Net doen of ze hem niet kende. Nick schudde nijdig met zijn hoofd. Ach, misschien maar beter ook. Straks kon hij vertellen dat hij de schat had gevonden. Eens kijken wie er dan voor leugenaar uitgemaakt zou worden.
'Wat wil je doen?' vroeg zijn vader. 'Zwemmen, potje voetbal...'
Nick hield de schatkaart omhoog.
'Geloof je nu...'
'Johan!' viel Nicks moeder hem in de rede. 'Je weet wat de psychiater heeft gezegd. We moeten...'
'Ja, ja, we moeten hem alle ruimte geven,' mompelde zijn vader. 'Waar wil je beginnen met zoeken, Nick?'
Nick wees met zijn hand verderop naar de baai. Hij wist zeker dat hij op de goede locatie zat. Maar zou de schat er nog liggen? Zou hij een held worden? Wie weet werd het wel over de hele wereld uitgezonden op televisie. Zouden zijn ouders hem dan eindelijk geloven?
Zijn vader sprong op. 'Laten we maar meteen gaan. Dan hebben we

dat maar gehad.' Nick rende voor zijn vader langs door het mulle zand naar de kustlijn. Wat een verschil met zeventienhonderd zeg. Nu was het een stuk drukker op de eilandenreeks en stond het vol gebouwen. Hun hotel lag vlak aan het strand. Het stond precies op de punt van de baai met een fantastisch uitzicht. De baai waar het schip voor het laatst had gelegen.
'Waar zoeken we precies naar?' vroeg zijn vader na tien minuten.
Nick pakte zijn verrekijker en tuurde de bosrand af. 'Een rotsblok,' mompelde hij.
'Dat moet niet zo moeilijk zijn om die te vinden,' antwoordde zijn vader. 'Die liggen hier zat.'
Ze liepen verder over het harde vochtige zand. Af en toe klotste er wat golvend water over hun voeten. Al snel lieten ze de lawaaiige toeristen achter zich. Alleen een enkele wandelaar liep hier nog. Terwijl Nicks voeten door het water petsten dacht hij aan de schat. Moest hij het hier melden aan de sheriff als hij hem vond? Hij moest in elk geval foto's maken. Dat was dan zijn bewijs. Trouwens, zijn vader zou het met zijn eigen ogen zien. Als dat niet genoeg was...
Ook de eenzame wandelaars waren nu verdwenen. Naast hem ruiste de zee zachtjes. Hij pakte de verrekijker nog een keer en keek langs de bosrand. Even hield hij zijn adem in, toen begon hij te rennen.
'Hé, niet zo snel!' riep zijn vader.
Maar Nick luisterde niet. In de verte lag iets wat op zijn rotsblok leek. Hij keek naar de baai en zag dat hij bijna bij het midden was gekomen. Hijgend viel hij een kwartier later voor het rotsblok neer. Op zijn knieën kroop hij naar de achterkant. Heel heel vaag, in het midden stond er iets ingekrast.
'Joehoe!' gilde Nick. 'Ik ben niet gek!' Dansend sprong hij om het rotsblok. Hij was hier een paar honderd jaar geleden geweest!
Zijn vader plofte hijgend naast hem neer. 'Wat is er allemaal aan de hand!' riep hij.
'Hier, kijk dan,' riep Nick. 'Het bewijs dat ik niet gelogen heb.' Hij wees naar de vage letters. Zijn vader kroop naar de achterkant van

de steen en tuurde naar de plek die Nick aanwees. 'En wat zou daar moeten staan?' vroeg hij.
'Zie je dat dan niet,' riep Nick. 'Daar staat Lula.'
'Die krasjes die schots en scheef door elkaar heen lopen?'
'Ja, een beetje vaag is het wel maar dat staat er echt. Ik heb het er zelf ingekrast dus ik kan het weten.' Hij sprong overeind en rende het bos in. Eerst een stuk rechtuit en daarna rechtsaf. Zijn voeten raakten de grond nauwelijks terwijl hij langs de bomen vloog. In zijn haast had hij de stappen niet geteld en zomaar wat gerend. Veel verschil zou het niet uitmaken. Hier moest het ongeveer zijn. Hijgend bleef hij stilstaan en keek om zich heen. Zijn vader dook puffend en steunend achter hem op. 'Isthier?' hijgde hij.
Nick keek rond. Alle bomen leken op elkaar. Vertwijfeld zocht hij de grond af naar de grote kei die Unlucky en Jim als laatste op het zand boven de kist hadden gelegd. Geen steen. Een beetje opzij dan. Of verder naar voren. Of was het toch naar achteren? Geen steen. Nick gromde. Er zat niets anders op dan weer terug te lopen naar de bosrand om het precies uit te meten vanaf de steen. Ongeduldig rende hij terug. 'Ik moet het precies uitmeten,' riep hij. 'Anders graven we op de verkeerde plek.'
Zijn vader rende met een rood hoofd weer achter Nick aan. Het zweet droop in straaltjes uit zijn haar. 'Kan het ook wat rustiger,' riep hij.
Nick reageerde niet. Van opwinding was hij vergeten of het nu twintig stappen rechtdoor waren en zestig rechtsaf of precies andersom. Bij het rotsblok vouwde hij zijn tekening open. Andersom dus. Hij klemde de tekening vast en begon met grote stappen te lopen. Steeds verder liep hij het bos in. Bij de zestigste stap zette hij een heel dikke streep met zijn voet in het zand. Toen liep hij twintig grote passen naar het oosten tot hij op een grote steen stuitte. Hij lag precies tussen drie bomen bij een vrije ruimte.
'Het klopt!' riep hij naar zijn vader. 'Drie bomen, een vrije ruimte en een steen!'
'Kijk eens om je heen, Nick. Zulke plaatsen zijn hier overal.'
'Maar dit de juiste!' Nick zakte door zijn knieën en met alle kracht

die hij had duwde hij de steen van zijn plaats. Stukje voor stukje schoof hij opzij. Zijn vader liep naar hem toe en hielp hem. 'Heb je genoeg ruimte zo?' 
'Ik begin alvast met graven,' riep Nick. Al kon hij maar een stukje kist voelen. Het zand was zacht en makkelijk verplaatsbaar. Hij groef en groef. Het gat was al een halve meter diep. Wanhopig keek hij naar het zand. Hij had nu ondertussen toch wel wat moeten vinden? Dan maar vanaf de andere kant. Zweet droop van zijn voorhoofd. Zijn T-shirt plakte aan zijn lijf en zijn armen begonnen te verbranden. Een halve meter dieper was er nog niks.
Met een pijnlijk vertrokken gezicht keek zijn vader hem onder de boom vandaan aan. 'Nick, lieverd,' mompelde hij. 'Wat doe je jezelf allemaal aan.' Zuchtend kroop hij naar hem toe en schepte ook wat zand uit het gat.
'Het moet hier liggen,' riep Nick. 'Het moet!' Een stok. Hij moest een stok hebben. Dan kon hij in de grond prikken. Verderop vond hij er een. Met zijn mes sneed hij er een vlijmscherpe punt aan. De stok sneed door het zand. Helemaal niks. Een andere plek dan. Was het soms daar. Of daar. Of daar. Hij vloog van plaats naar plaats. Hij hield pas op met graven toen zijn handen rauw waren en geen zandkorrel meer konden verdragen.

Na twee dagen gaf Nick het zoeken op. Zijn vader was al die dagen geduldig mee gegaan en had net zo hard als Nick gegraven. Dat was wel tof van hem. Ook al geloofde hij niks van het verhaal, hij deed wel zijn best om hem alle ruimte te geven zoals de psychiater had opgedragen. Ze hadden al zoveel plekken onderzocht. Nick snapte ook wel dat hij het niet kon maken om hem zijn hele vakantie naar een schat te laten zoeken die al weg was. Want wie weet hadden Jim

en Unlucky het gevecht uiteindelijk toch overleefd. Dan hadden ze de schat opgehaald. Of misschien was er wel iemand anders geweest die de schat per ongeluk had gevonden? Of had hij zich toch vergist in zijn berekening. Hij schudde zijn schouders naar achter en sprong op. Hij zou er waarschijnlijk nooit meer achter komen. Het beste was om te proberen nog wat plezier op deze vakantie te hebben. Hoe teleurgesteld hij ook was.
'Ga je mee een zandkasteel bouwen, pap?'
Zijn vader stond al naast hem. 'Wie het eerst bij het water is,' riep hij.

Vijf dagen later in het vliegtuig terug naar huis wees zijn vader hem op de donzige wolken onder hen. 'Net een dot slagroom. Vind je ook niet?'
Nick staarde langs de wijzende vinger van zijn vader. Het enige wat hij erin zag, was de vorm van de schatkist die hij niet gevonden had.
'En die zee, is ook zo mooi van bovenaf,' verzuchtte zijn moeder. 'Net een opgepoetste gladde vloer.'
Nick keek tussen de wolken door naar het water. In de schittering zag hij alleen maar blinkende muntjes, flonkerende juwelen en glanzende edelstenen. Zou hij er ooit nog achter komen wat er met de schatkist was gebeurd? Er moest toch iets zijn wat hij kon doen? Zolang hij geen bewijs had bleef het probleem tussen hem en zijn ouders in staan. Ineens schoot hij overeind. Natuurlijk! Hij ging nog een keer terug naar 1718. Hij moest Lula ervan zien te overtuigen dat hij de schoenen nog een keer nodig had. Als hij alleen met haar was deed ze misschien wel weer normaal. Nu hij de laatste week veel had nagedacht, begreep hij wel waarom ze had gedaan alsof ze hem niet kende. Als alles was uitgekomen was ze hartstikke in de problemen gekomen. Wie stuurt er nu een kind driehonderd jaar terug in de tijd naar piraten?
Nick schoof nerveus over de zitting van zijn stoel heen en weer. Als hij terugging en zijn fototoestel meenam, kon hij heel snel een paar foto's maken en dan weer terug. Dan had hij zijn bewijs! Opgewonden keek hij op zijn horloge. Nog zes uur en ze zouden landen.
'Mooi hè, die wolken,' zei hij tegen zijn vader.

Wicca

Zodra zijn ouders boven in huis bezig waren de koffers uit te pakken, glipte Nick het huis uit. Hij griste zijn fiets uit de schuur en racete richting Wicca. Het fototoestel zat diep in zijn zak opgeborgen. Hij ging op zijn trappers staan en zette nog een keer aan. Even later kwam hij met slippende banden tot stilstand voor de deur van het winkeltje. Hijgend gooide hij zijn fiets tegen de muur en duwde de deurklink naar beneden. Dicht.

Hij bonkte met zijn vuisten tegen de deur. 'Lula!'

Het zwarte rolgordijn zweeg.

Nog een keer bonkte hij met zijn vuisten op de deur. De ruit trilde ervan. 'Lulaaa!'

Niks.

Nick liep achteruit en keek naar haar woning boven de winkel. 'Te koop' stond er met grote letters op. Te koop? Ongelovig keek hij naar het zwarte rolgordijn. Was ze weg? Hoe moest hij nu terug naar 1718? Nerveus rende hij naar de etalage. Zijn handen grepen het houten kozijn vast toen hij door de ruit naar binnen keek.

Hij knipperde met zijn ogen.

Zijn mond viel open.

Zijn benen werden slap. Vol ongeloof staarde hij naar de bijna lege etalage. Op de plek waar ooit de achteruitloopschoenen stonden, schitterde nu eenzaam en alleen de ring met de rode robijn...

Nick lag al uren op zijn bed met het kussen over zijn hoofd getrokken. Woest was hij! Daarom had hij de schat niet kunnen vinden! Wat een ongelofelijk gemeen wijf. Het had hem zijn leven kunnen kosten. Door haar leugens werd hij nu voor gek versleten, alleen maar omdat zij rijker wilde worden. Voor de zoveelste keer sloeg hij met zijn vuisten in zijn matras. Hoe vaak had ze dit al geflikt? Hij dacht terug aan de glanzende parel die om haar nek hing en de glinsterende steentjes in haar oorschelpen. Waren dat ook allemaal trofeeën die teruggehaald waren? Hadden die allemaal bij haar in de kelder opgeslagen gestaan? Waren er al eerder andere kinderen ook terug in de tijd gegaan? Hij wierp het kussen van zich af. Hij had er nog nooit iets over gehoord of gelezen. Nee, natuurlijk niet. Wie geloofde hen immers. Nijdig ging hij rechtop zitten. Hij had zelfs zijn vakantie naar de Disney-parken ervoor opgegeven. Dat maakte hem zo kwaad dat hij opnieuw met zijn vuisten in de matras sloeg. 'Ik -zal - je - vinden,' zei hij op de maat van zijn vuistslagen. Hoe hij dat voor elkaar ging krijgen wist hij nog niet, maar vinden zou hij haar.

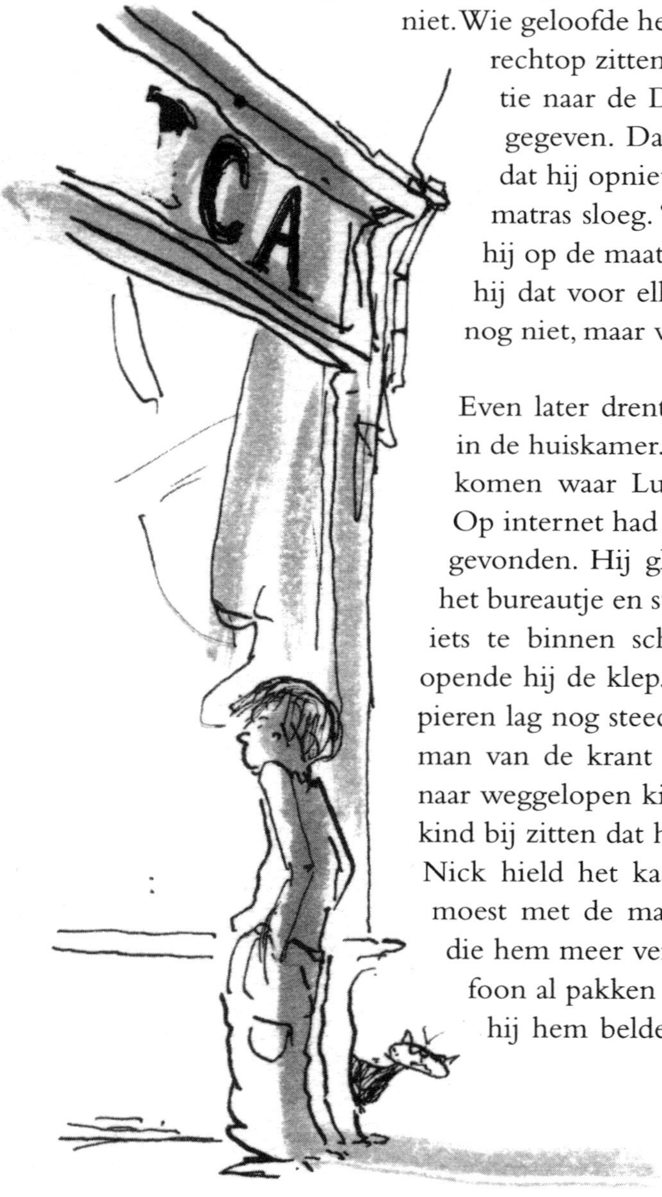

Even later drentelde Nick heen en weer in de huiskamer. Hoe kon hij er nu achter komen waar Lula naartoe was verhuisd. Op internet had hij alleen haar oude adres gevonden. Hij gleed met zijn hand langs het bureautje en stopte toen hem plotseling iets te binnen schoot. Zo zacht mogelijk opende hij de klep. Boven op een stapel papieren lag nog steeds het visitekaartje van de man van de krant die een onderzoek deed naar weggelopen kinderen. Zou er soms een kind bij zitten dat hetzelfde was overkomen? Nick hield het kaartje tegen zich aan. Hij moest met de man praten. Misschien kon die hem meer vertellen. Hij wilde de telefoon al pakken toen hij zich bedacht. Als hij hem belde moest hij ook zijn ver-

haal vertellen. Daar had hij geen zin in. De man zou hem uitlachen. En zijn ouders zouden vast ook niet blij zijn als hij op eigen houtje contact met hem opnam. Die dachten dat hij er nu net een beetje overheen was.
Nick legde het kaartje terug en deed het bureau dicht. Vanaf de bank bleef hij ernaar staren. Als hij hem nu eens belde, gewoon om te informeren of hij nog met het onderzoek bezig was. Hij hoefde zijn naam niet te noemen.
In de keuken rommelde zijn moeder nog steeds met potten en pannen. Snel sprong hij op en pakte het kaartje opnieuw. Hij haalde de telefoon uit de standaard en rende ermee naar zijn kamer. *De heer Van Houten, Warmenzeels Dagblad* stond er op de voorzijde van het kaartje. Daaronder een 06-nummer. Met trillende vingers toetste Nick het nummer in. De telefoon ging een keer over, twee keer, drie keer...
'Joost van Houten.'
'Dag.' Nick maakte zijn stem een stukje lager dan normaal. 'Ik heb gehoord dat u een onderzoek doet naar kinderen die van huis weglopen, klopt dat?' vroeg hij.
'Met wie spreek ik?'
Nick beet op zijn lip. Hij had gehoopt dat de man niet naar zijn naam zou vragen.
'Met Johan de Groot,' verzon hij snel. 'Klopt het dat u dat onderzoek doet?'
'Deed,' antwoordde Joost van Houten. 'Het artikel is afgelopen zaterdag al geplaatst in de krant.'
'Heeft u alle kinderen die ooit zijn weggelopen al gesproken?' vroeg Nick.
'Niet allemaal maar genoeg om er een artikel over te kunnen schrijven. Heeft u soms nog nadere infor...'
Nick had het uitknopje al ingedrukt. Met de telefoon in zijn hand rende hij naar beneden.
'Mam, waar zijn de kranten van de afgelopen zaterdag?'
'In de papierbak. Waarom wil...'
Nick luisterde al niet meer en rende naar de schuur. In een karton-

nen doos lag de stapel. Hij zocht de krant. Hij plukte hem ertussenuit en nam hem mee naar zijn kamer. Daar bladerde hij hem snel door. Op pagina dertig stond het artikel.
'Nick Blikkers ongedeerd weer thuis' stond er bovenaan het stuk. Oeps! Dat het artikel met zijn naam begon. Dat hadden zijn ouders vast niet geweten anders hadden ze de krant nooit weggegooid.
Zijn ogen gleden over de pagina. Buiten zijn naam in de kop werd hij halverwege nog een keer genoemd. De weggelopen kinderen waren in verschillende categorieën ingedeeld. Een aantal had een duidelijke reden tot weglopen maar keerde na korte tijd zelf weer terug. Een aantal kinderen kon niet goed beschrijven waarom ze weggelopen waren, bleef een aantal dagen weg en keerden weer terug. En nog een groep kinderen liep na grote problemen in de huiselijke kring weg naar familieleden of kennissen. Vooral bij de tweede groep was het niet helemaal duidelijk geworden waar ze de tijd hadden doorgebracht en waarom ze nu precies waren weggelopen. Nick pakt zijn oplichtstift erbij en streepte dit gedeelte aan. Dat was de groep waartoe hij ook behoorde. Het verschijnsel kwam in het hele land voor. Nick schreef de plaatsnamen op een kladblaadje. Daarachter schreef hij de namen van de kinderen.
Driehoorn, een 10-jarige jongen Tom Albrechts
Veenhoeverdorp, 11-jarige meisje Sanne Gillingen
Osterleegte, 12-jarige jongen Silvano Kempers
Warmenzeel, 10-jarige jongen Nick Blikkers
Zijn ogen bleven even opnieuw rusten bij zijn eigen naam. Hij werd in het artikel genoemd zonder dat hij de verslaggever gesproken had. Die informatie zou de man wel van de politie hebben gekregen. Veel bijzonders stond er niet in behalve een vaag verhaal dat hij een aantal dagen op een boot was geweest. Hij scheurde het blaadje van zijn kladblok en liep ermee naar de computer. Hij klikte bij Google het telefoonboek aan. Daarna tikte hij de woonplaats in en de achternaam van het eerste kind. Er waren drie Albrechts in Driehoorn. Hij schreef alle nummers op.
Bij Gillingen kwam er maar een naam voor en bij Kempers wel zeven. Hij noteerde alles.

Zijn vingers voelden koud en stijf aan toen hij het eerste nummer intoetste.
'Met Albrechts,' nam een mannenstem op.
'Dag, u spreekt met Nick. Is Tom ook thuis?'
'Er woont hier geen Tom.'
'Sorry, dan heb ik een verkeerd nummer getoetst.' Nick drukte het knopje weer in en streepte het eerste nummer door.
Hij ging verder met het tweede nummer. Er werd niet opgenomen.
Het derde nummer dan. Ook hier woonde geen Tom.
Het vierde nummer.
'Met Sanne Gillingen.'
Nick kneep in de hoorn. Hij had haar al direct aan de lijn.
'Hallo?' riep ze door de hoorn toen hij kennelijk niet snel genoeg antwoordde.
'Achteruitloopschoenen,' zei Nick.
'Wat?'
'Wicca.'
'Waar heb je het over en wie ben je?' vroeg Sanne een beetje boos.
'Ik ben Nick. Zegt de naam Wicca je iets?'
'Ik ken geen Nick Wicca. En als dit een geintje van Joyce is, zeg haar dan dat ze eens moet ophouden met die stomme telefoontjes.' Het volgende moment klonk er een zoemtoon.
Nick dacht even na en streepte toen ook dit nummer door. Als ze iets over de achteruitloopschoenen en het winkeltje Wicca wist, had ze wel anders gereageerd.
Zo werkte hij het hele lijstje af.
Bij het achtste telefoontje kreeg hij Silvano aan de lijn. Maar die reageerde ook niet op de achteruitloopschoenen, de naam Wicca of Lula. Teleurgesteld legde Nick de telefoon neer.
Zijn onderzoek leidde nergens toe. Hij had nog maar één telefoonnummer en daarvan wist hij niet eens zeker of Tom er woonde.
Hij pakte voor de laatste keer de telefoon op en drukte het nummer in.
'Met Tom.'
'Achteruitloopschoenen,' zei Nick.

Het bleef doodstil.
'Wicca,' probeerde Nick opnieuw.
'Lula?' fluisterde Tom.
'Je kent haar!' riep Nick. Maar in plaats van een antwoord klonk er een zoemtoon. Nick kon de telefoon wel door de kamer heen smijten. Had hij eindelijk iemand gevonden die haar ook kende, werd de verbinding verbroken.
Opnieuw drukte hij het nummer in. De telefoon ging wel tien keer over.
'Wie ben je?' klonk de stem van Tom angstig.
'Ik ben Nick.'
'Ben je een journalist?'
'Ben je gek!' riep Nick.
'Hoe oud ben je?'
'Tien jaar. Gooi alsjeblieft de telefoon niet uit.'
'Wat wil je van me?'
'Ik weet van de achteruitloopschoenen, het winkeltje Wicca, en Lula. Ik ben op zoek naar andere kinderen die haar ook kennen.'
'Waarom?'
'Omdat... omdat...' Nick wist even niet meer wat hij moest zeggen. 'Omdat ik heel boos op haar ben en ik wil haar vinden.'
'Ik kan niet praten nu,' fluisterde Tom gehaast. 'Mijn moeder roept dat ik de telefoon moet geven. Ze zat net naast me in de kamer toen je de eerste keer belde. Ik moest al naar boven lopen. Mijn ouders weten niks van Lula.'
'Heb je e-mail?' vroeg Nick. 'Kan ik contact met je zoeken via de e-mail of de chat?'
'Hoe weet ik of jij wel bent wie je zegt?'
'Nick, kom je eten?' Onder aan de trap riep Nicks moeder hem.
'Ik kom eraan,' riep Nick terug.
'Heb je een webcam?' vroeg hij snel aan Tom. 'Dan kun je me zien terwijl ik met je chat.'
'Tompiraat@hotmail.com.'
Nick viel even stil bij het horen van het e-mailadres. Hij had de juiste te pakken. Dat kon niet anders. 'Vanavond om zeven uur zoek ik contact met je,' zei hij. 'Tot dan.' Toen drukte hij het knopje in.

Al om half zeven zat Nick achter de computer te wachten tot Tom zich zou aanmelden. Hij had zijn e-mailadres toegevoegd aan zijn contactpersonen maar Tom stond nog steeds off line. Voor de zoveelste keer zette hij zijn webcam voor zich en trommelde ongeduldig met zijn vingers op het bureau. Eindelijk om tien over zeven verscheen Toms naam op de computer.
Nick zocht gelijk contact met hem. Het chatscherm verscheen in beeld.
'Ben je daar, Tom?' tikte hij in.
'ff w8e.'
Nick draaide op zijn stoel heen en weer voor het scherm. Hij kon haast niet meer wachten. Wat had Tom beleefd? Waar was hij heen gegaan met Lula's schoenen?
'Ben d'r. Moest m'n zus ff wegsturen. Geen microfoon gebruiken. Ze luistert me altijd af.'
Het volgende moment werd er contact gemaakt met de webcam en verscheen Tom in beeld.
'Heb jij de achteruitloopschoenen aan gehad?' tikte Nick in. Hij zorgde dat zijn gezicht goed in beeld was om zichzelf aan Tom te tonen.
'Ben je alleen?' tikte Tom terug.
'Ja. Kijk maar.' Nick pakte de webcam op en liet hem zijn kamer rondgaan.
'Eerst jij vertellen.'
Nick zette de webcam neer en vertelde in grote lijnen zijn verhaal. Tom onderbrak hem geen enkele keer.
'En jij?'
'Beetje hetzelfde verhaal.' Tom tikte zijn verhaal in. 'Toen ik vorig jaar langs een winkeltje met de naam Wicca liep, zag ik een piratenschip in de etalage staan. Het schip lokte me naar binnen maar bleek eigenlijk niet te koop. Lula zei dat ze een lekker kopje chocolademelk voor me ging maken. Dan konden we er nog eens over praten. Ze leek wel aardig dus ik ben in een stoel gaan zitten. Voor me lag een oud boek met piratenverhalen opengeslagen bij bladzijde 75. Het verhaal ging over Bartholomew Roberts. Hij was piratenkapi-

tein tot 1722. Nou, en toen kwam Lula met de schoenen. Ik trok ze aan om haar een plezier te doen en brulde voor de gein de datum en de locatie van het verhaal. Ik bedoel: wie gelooft zoiets nou? Voor ik het wist stond in een haven bij het schip van Roberts. Ik schrok me dood! Van de zenuwen wist ik de terugkeerspreuk niet meer. Verstoppen! Dat was het eerste wat in me opkwam. Het werd een kist. Maar voor ik het doorhad werd de kist aan boord gedragen en in het voedselmagazijn gezet. Daar heb ik de hele dag gezeten. Ik durfde me haast niet te bewegen uit angst gesnapt te worden. Tegen de tijd dat er niemand meer in en uit het voedselmagazijn liep, voeren we al. We waren nog geen paar uur onderweg toen er al een schip gekaapt werd. Ik heb niets van het gevecht gezien maar de geluiden die ik heb gehoord... Verschrikkelijk! Pas in de nacht, toen na een groot overwinningsfeest alles rustig leek, ben ik voorzichtig naar boven geslopen. Op het dek liep iemand. Ik vluchtte naar de sloep en verstopte me onder een zeil. Daar ben ik gebleven tot een ontevreden piraat een kleine schatkist in de sloep tilde. Hij liet de sloep zakken en roeide naar een eiland om zijn gestolen kist te begraven. Man, wat was ik blij om weer vaste grond onder mijn voeten te voelen. Toch kon ik het niet laten de piraat stiekem te volgen. Ik heb een tekening gemaakt van de locatie waar hij de schat begroef. Toen hij weer wegging heb ik diverse terugkeerspreuken geroepen en de derde was goed. Een dag en nacht later zat ik weer bij Lula in het winkeltje. Ik heb haar alles verteld en de tekening die ik gemaakt heb laten zien. De volgende dag was het winkeltje wegens omstandigheden gesloten en een paar weken daarna was het weg.'
'Ze is zelf de schat gaan zoeken,' tikte Nick venijnig in.
'Nu ik jouw verhaal heb gehoord, denk ik van wel.'
'Ik wil haar vinden,' zei Nick. 'Doe je mee?'
'En dan...'
'Jij en ik hebben de schat gevonden. Die is van ons.'
'Ze geeft hem toch niet. En trouwens wat moeten wij ermee?'
Nick liet zijn armen slap op het bureau rusten. Tom had gelijk. Wat moesten zij ermee? Maar het voelde zo oneerlijk aan. Zij hadden wel dood kunnen gaan op de reis. Niemand geloofde zijn verhaal en

dankzij hen was zij nu rijk. Nee, als hij nu niets deed, zou hij er zijn hele leven een rotgevoel over houden. Maar het allerbelangrijkste was dat zijn ouders zijn verhaal geloofden. En dat kon alleen maar als Lula hun de waarheid vertelde. Met het stelen van de schat zouden ze haar misschien onder druk kunnen zetten. Want dan moest ze wel vertellen hoe ze aan al die juwelen en munten kwam.
'Ben jij dan niet kwaad op haar?' tikte hij in.
Er verscheen weer een tekst op het scherm.
'Ja natuurlijk. Zeker nu ik weet dat ze zelf de schat is gaan halen.'
'Dus?' tikte Nick in. Het duurde eeuwen voor Tom antwoordde. Ongeduldig keek Nick naar de webcam. Tom leek na te denken maar toen boog hij zich voorover en begon te tikken.
'Een beetje angst aanjagen kan vast geen kwaad!'

Op zoek naar Lula

De volgende dag stond er al een e-mail van Tom op de computer. Nick opende hem snel.

Ik weet het adres van Lula. Ze staat bij de Kamer van Koophandel geregistreerd en dat kun je via de computer opvragen. Sinds kort heeft ze Wicca geopend in Vesterveen. Het adres is Damstraat 24. Wat nu?
Tom
PS. Ben zo blij dat je gebeld hebt, mijn verhaal gelooft en zelf ook meegemaakt hebt.
Nu weet ik zeker dat ik niet keiknotsknettergek ben!

Nick glimlachte, schreef het adres snel over op een los blaadje en verwijderde de mail. Het papiertje borg hij op achter in zijn piratenboek. Hij draaide zijn bureaustoel in het rond. Maar wat nu? Waar lag Vesterveen eigenlijk? Hij had er nog nooit van gehoord. Het ANWB-boek van zijn vader. Daar stonden alle plaatsnamen in. Hij rende de trap af en trok het boek uit de kast in de woonkamer.
'Wat moet jij daar mee?' vroeg zijn vader verbaasd.
'Ik eh... ik heb een nieuw vriendje op de chat,' zei Nick snel. 'Hij woont in Driehoorn.'
'Nooit van gehoord,' zei zijn vader. 'En nu wil je hem een keer ontmoeten?'
'Nou...' twijfelde Nick. Het overviel hem een beetje. Maar zo'n gek idee was het niet. 'Hij weet ook alles van piratenschepen dan kunnen we misschien dubbele spullen ruilen.'
'Piratenspullen?' Zijn vader keek hem moedeloos aan.
'De psychiater...' begon Nick.

'Ik weet het, ik weet het,' zei zijn vader. 'We moeten je de ruimte geven. Kom maar hier met het boek. Dan zullen we eens kijken hoe ver het hier vandaan is.'
Nick gaf het boek. Eigenlijk wilde hij liever weten waar Vesterveen lag maar een ontmoeting met Tom was ook niet gek. Dan konden ze samen bedenken hoe ze in Vesterveen konden komen en hoe ze alles het beste konden aanpakken.
Zijn vader had het boek al bij het namenregister opengeslagen. 'Even kijken,' mompelde hij en hij liet zijn vinger over het register glijden. 'Hier heb ik het.' Hij sloeg het boek bij de juiste pagina open en wees Driehoorn aan.
'Je weet ze wel te vinden zeg! Dat is in het oosten van het land. Bijna twee uur hier vandaan.'
'Dan gaan we er dus niet heen,' concludeerde Nick teleurgesteld.
'Voor iemand die je zo kort kent, lijkt me dat nu nog een beetje te ver,' zei zijn vader.
'En waar ligt Vesterveen?' vroeg Nick.
'Een ander vriendje?'
Nick zweeg en staarde naar de punt van zijn voeten.
'Aha, een vriendinnetje dus,' glimlachte zijn vader. 'En die houdt ook van piratenschepen?'
'Alleen maar van hun schatten,' gromde Nick.
'Nou, kijk eens aan. Dat ligt op de helft van hier en Driehoorn. Een uurtje rijden ongeveer. Misschien moeten we daar eerst maar eens mee beginnen.'
Nick keek naar de wijsvinger van zijn vader die onder de plaats stond. Het was een beetje in het midden van de kaart.
'Laat maar. Ik geloof niet dat zij iets wil ruilen.'

Boven op zijn kamer ging Nick op zijn bed liggen. Als hij lag, kon hij altijd goed nadenken en dat moest nu gebeuren. Hoe konden hij en Tom tegelijkertijd naar Vesterveen. Hij wist nu al dat ze nooit alleen met de trein daar naartoe mochten. Dat denkbeeldige vriendinnetje dat zijn vader in zijn hoofd had bestond niet en als hij er een verzon zouden ze van alles willen weten. Hij ging nu eerst maar

eens kijken of er iets over Vesterveen op internet te vinden was. Hij tikte de naam in en kwam direct al bij een site van de gemeente. Met zijn muis ging hij naar het hoofdstuk *plattegrond*. Het scherm bouwde op en al snel verscheen er een overzicht van de stad. Hij tikte de naam Damstraat in. Het beeld lichtte weer op. De straat met het winkeltje lag een stuk buiten het centrum. Net zoals het hier was geweest. Lula moest natuurlijk niet te veel pottenkijkers hebben als ze kinderen naar binnen lokte. Hij moest nog maar eens aan Tom vragen waar het winkeltje bij hem in de buurt was geweest.
Nick maakte het overzicht weer wat groter en zag nu een groot gedeelte van de stad. Hij zette zijn ellebogen op zijn bureau en steunde zijn hoofd op zijn handen. Zo bleef hij een tijdje naar het beeldscherm turen zonder echt te kijken. Het leek onmogelijk om daar binnen korte tijd samen met Tom te komen. Hoe lang zou het duren voor Lula weer iemand in de schoenen wist te praten? Of zou ze nu genoeg hebben?
Zijn ogen gleden over het scherm. Rechtsboven zag hij een groot natuurgebied. In het midden ervan stond *Pretpark Water Wonderland*. Hij schoot overeind. Een pretpark! Snel tikte hij de naam van het park in. Een uitgebreid overzicht van wat er allemaal te doen was, verscheen op het scherm. Waterfietsen, kano's, zwembad met glijbanen, speeltuin en kinderboerderij. Dat was het! Tom en hij moesten hun ouders overhalen om tegelijkertijd naar het pretpark te gaan. Als ze daar dan de hele dag waren konden ze gemakkelijk langs Lula. Nick tikte het mailadres van Tom in.

Vesterveen ligt een uur met de auto van jullie en van ons vandaan. Er is een pretpark Water Wonderland. We moeten aan onze ouders vragen of we daar een keer heen gaan. Als we een datum afspreken kunnen we elkaar daar ontmoeten en ertussenuit sneaken. Het park is tot 1 november open. Zeg maar tegen je ouders dat ik ook piratenspullen verzamel en dat we daar dan kunnen ruilen. Laat me snel weten of het je lukt.
Nick

Zodra Nick de mail had verstuurd rende hij naar beneden.

'Ik weet een manier om mijn nieuwe vriendje te ontmoeten,' zei Nick tegen zijn vader.
'Je mag er niet alleen heen hoor.'
'Nee, maar je wilde toch wel naar Vesterveen rijden?'
'Dat is nog wel te doen.' Zijn vader keek op uit zijn krant.
'Daar is een supergaaf pretpark. Net zoiets als Disney maar veel goedkoper. Als Tom daar nu ook heen komt met zijn ouders kunnen we spullen ruilen. En we hebben een leuke dag in het park.'
'Komt dat meisje dan ook?'
'Meisjes snappen niks van piraten. En ze wil toch niks ruilen. Nee, alleen Tom.'
'En wanneer moet dat gebeuren?'
'Dat hangt van Tom en zijn ouders af maar voor 1 november.'

De eerstvolgende zaterdag zat Nick al in de auto. Een plastic zak met piratenspullen lag naast hem. Hij keek in de zak. Wat een kinderachtige dingen eigenlijk. En plastic pistooltje, plastic zwaard, een zakdoek, een ooglapje en nog veel meer van die rommel. Hij pakte het zwaard en klapte het dubbel. Het leek niet eens op een echte. Hij zou alles aan Tom geven. Maar die dacht er waarschijnlijk hetzelfde over. Hij voelde nog een keer in zijn broekzak. Hij had zijn hele spaarpot omgekeerd om voldoende geld voor een taxi te hebben. Die kon hen snel naar Wicca brengen en weer terug naar het pretpark.

Om 11.00 uur waren ze eindelijk bij het park. Nadat ze auto hadden geparkeerd en kaartjes hadden gekocht, gingen ze naar het restaurant. Daar zouden ze Tom en zijn familie ontmoeten.
Het was mooi weer en behoorlijk druk. Nick droeg zijn plastic zak met spullen mee terwijl zijn vader op de plattegrond keek hoe ze naar het restaurant moesten lopen. Nick rende vooruit en kon niet wachten tot ze er waren. Tom en hij moesten meteen weg voordat hun ouders erachter zouden komen dat zij allebei al eens vermist waren geweest. Anders kregen ze nooit de kans samen het park in te gaan.

Toen ze het restaurant binnenkwamen, stond Tom al bij de deur te wachten.
'Hoi Nick.'
Nick grijnsde. 'Pap, mam, dit is Tom.'
Tom stelde zich netjes voor en liep toen vooruit naar het tafeltje waar zijn ouders zaten. 'Mijn zus is al met haar vriendin het park in,' zei Tom. 'Mogen wij ook?' vroeg hij aan zijn ouders.
'Wil je niet eerst wat drinken, Nick?' vroeg zijn moeder.
Nick schudde zijn hoofd. 'Ik heb geld bij me. Als we dorst krijgen of wat willen eten kopen we het wel. Ik wil nu eerst van alles doen.'
'Ik kan het me voorstellen,' zei Toms moeder. 'Tom zit al drie dagen te popelen om hier naartoe te gaan. Ik heb hem nog nooit zo opgewonden gezien. Ik wist niet eens dat hier een pretpark was.'
'Die kinderen zijn tegenwoordig zo handig met internet,' antwoordde Nicks moeder. 'Ze vinden alles wat ze willen vinden.' Ze keek trots naar Nick.
'Inderdaad,' antwoordde Toms moeder. 'En zo leuk dat ze dezelfde hobby hebben. Ik zie dat je ook een tas vol met spullen hebt meegenomen, Nick. Gaan jullie nog ruilen?'
'Straks,' riep Nick. De ouders van Tom en die van hem konden het zo te zien wel met elkaar vinden. 'Maar nu gaan we eerst van alles doen.'
'Zorgen jullie ervoor dat je goed bij elkaar blijft?' vroeg Nicks moeder bezorgd.
Nick knikte.
'Over een uur komen jullie je hier even melden,' zei Nicks vader. Hij stak de plattegrond van het park naar Nick toe. 'Beloof je dat?'
'Is goed,' riep Nick. 'Tot straks.'

Zodra ze het restaurant uit waren, renden ze terug naar de uitgang. Maar voor ze naar buiten liepen, hield Tom Nick tegen. 'Hoe komen we straks weer binnen?' vroeg hij geschrokken.
Oeps! Nick stond meteen stil. Daar had hij helemaal niet aan gedacht. De kaartjes zaten bij zijn vader in zijn zak.
'Problemen?' vroeg een man die de kaartjes bij de ingang controleerde.

'Uh, wij moeten even wat ophalen uit de auto,' zei Nick. 'Maar mijn vader heeft de kaartjes nog. Nu moeten we hem eerst weer gaan zoeken.'
'Hoeft niet hoor,' zei de man. Hij pakte een doosje uit zijn jaszak. 'Steek je hand maar eens uit.' Nick stak zijn hand naar voren en de man drukte een mooie stempel op de bovenkant van zijn hand. Bij Tom deed hij hetzelfde.
'Als je deze laat zien mag je zo weer naar binnen,' zei de man. 'Maar niet eraf poetsen hè!'
Ze schudden hun hoofd en renden naar buiten. Op het parkeerterrein bleven ze staan.
'En hoe komen we nu aan een taxi?' vroeg Nick. 'Als we vragen aan mensen of ze die willen bellen, vallen we wel erg op.'
Tom grijnsde en haalde een mobiele telefoon uit zijn jaszak. 'Van mijn zus,' zei hij. 'Die mocht hem niet meenemen van mijn ouders dus heb ik hem even van haar geleend.' Hij stak zijn hand in zijn zak en trok er een papiertje met een nummer uit. 'Het nummer van de taxicentrale. Het leek me wel handig om het van te voren op te zoeken. Ik hoop alleen niet dat de taxi veel geld kost.'
'Daar heb ik weer aan gedacht.' Nick stak zijn hand in zijn broekzak en liet een paar briefjes zien.
Het volgende moment toetste Tom het nummer in en vijf minuten later reed de taxi voor.
Nick en Tom stapten achterin.
'De Damstraat,' zei Nick.
'En snel een beetje,' riep Tom erachteraan.
Toen lachten ze.
'Jullie kijken teveel naar de televisie,' bromde de chauffeur. 'We zitten niet in een speelfilm. Daarvoor kun je beter in het park blijven. Welk nummer wonen jullie?'
'Zet ons maar aan het begin af. Dan lopen we de rest,' antwoordde Nick.
'Jullie hebben het ook niet lang uitgehouden in het park. Maar jullie ko-

men er zeker vaak?' De chauffeur schakelde, drukte het gaspedaal in en reed weg.
'We gaan zo weer terug,' zei Tom. 'Maar we moeten eerst nog iets ophalen.'
'Je piratenkleren zeker,' zei de man.
Nick en Tom keken elkaar geschrokken aan. Hoe wist hij...
'Jullie gaan vast een tochtje op het piratenschip maken.'
'Het piratenschip?' vroeg Tom. Zijn stem klonk krakerig.
'Voor kinderen die hier wonen, weten jullie niet veel,' antwoordde de chauffeur. 'De laatste maand proberen ze een nieuwe attractie voor volgend jaar uit. Het piratenschip van Zwartbaard. Van Zwartbaard heb je toch wel eens gehoord?' De chauffeur keek hen via de binnenspiegel vragend aan.
Nick en Tom knikten.
'Dit weekend is het verkleedweekend. Degene die er het meest als echte piraat uitziet kan een prijs winnen.'
De jongens staarden zwijgend naar buiten tot ze bij de Damstraat waren.
Nick betaalde de chauffeur.
'Moet ik niet wachten?' vroeg de chauffeur.
'Het kan even duren voor we ons verkleed hebben,' mompelde Nick. 'Dan bellen we wel weer opnieuw.'
'Succes met de wedstrijd,' zei de chauffeur. Hij zwaaide nog een keer en reed toen weg.

'Ze wist dit!' riep Tom zodra de taxi de bocht om was.
'Doordat de kinderen enthousiast worden van een tocht op de piratenboot zullen ze eerder afkomen op het schip van Zwartbaard in de etalage,' zei Nick nijdig.
Hij keek om zich heen. Ze stonden op de kruising van de Damstraat met de Vrijheidslaan.
De Damstraat was een mooie rustige laan met grote kastanjebomen. De straat was lang en stond vol met statige woonhuizen. Sommige huizen leken bewoond maar er zaten ook kantoorpanden in. Recht voor hen was nummer 2. Er zat een advocatenkantoor in. Op num-

mer 4 een notarissenkantoor. Langzaam liepen ze de straat in. Er was niemand te zien. Vlak voor nummer 24 bleven ze staan. Nick greep de hand van Tom vast. Ook die voelde klam aan.
Voetje voor voetje liepen ze tot de etalage. In het midden stond het piratenschip. 'Te koop' stond er op het kaartje dat eronder geschoven was. Nicks ogen gleden langs de rest van de spullen. Het leek alsof hij terug in de tijd stapte. De etalage was precies hetzelfde als in zijn woonplaats. Op één ding na.
Hij slikte een droog stukje in zijn keel weg. 'De schoenen...' fluisterde hij.
Tom knikte: 'Weg...' zei hij zacht. Somber staarden ze de etalage in.
'Zou ze echt zo snel al weer iemand gevonden hebben?' vroeg Tom na een poosje. 'Ze zit hier nog geen drie weken.'
Nick keek hem aan. 'Heeft ze dan nooit genoeg? Hoeveel schatten wil ze nog krijgen? Hoeveel kinderen worden er nog in gevaar gebracht.' Hij voelde zijn kwaadheid weer opkomen.
'Misschien staan de schoenen wel ergens anders,' zei Tom.
'Dat zou nog kunnen,' zei Nick. Hij draaide zich af van de etalage. 'Ben je er klaar voor? Weet je nog wat we gaan zeggen en moeten doen?' Samen namen ze de belangrijkste zaken even door tot de deur van het winkeltje ineens openging. Geschrokken keken ze opzij en hielden hun adem in toen een jongetje achterstevoren de winkel uitkwam. De achteruitloopschoenen bonkten op straat en bleven even staan. De deur viel weer dicht. Toen draaide de jongen een kwartslag en begonnen de schoenen weer te lopen. Zijn ogen waren wijd open gesperd. 'Help,' zei zijn mond maar er kwam geen geluid uit. Smekend strekte hij zijn armen uit naar de jongens.
'Nee,' gilden Tom en Nick tegelijk. Ze doken naar voren om hem vast te grijpen maar hij was al een paar meter verder.
'Help!' riep de jongen met hoge piepstem terwijl hij steeds verder van hen wegging. 'Help me dan toch!'
Nick en Tom krabbelden overeind en renden achter hem aan. Maar de afstand werd steeds groter. Nick liep zo hard hij kon. De trottoirtegels vlogen onder zijn voeten door. Tom volgde hem op de hielen.
'Als je straks stilstaat, roep dan gelijk "Wicca heden",' gilde Nick. De

huizen gingen als een streep langs hem heen maar hij raakte steeds verder van de jongen af.
'Pak niemand of niks vast!' schreeuwde Tom. 'Dan kom je gelijk weer terug.'
De jongen was nog nauwelijks te zien.
'Wicca heden,' schreeuwde Nick nog een keer maar de straat was al leeg.
Happend naar adem en vol ongeloof bleven ze staan.
'We waren te laat,' zei Tom. Zijn lip trilde en er stonden tranen in zijn ogen. 'We konden hem niet meer tegenhouden.'
'Rot Lula!' gilde Nick. Hij stampte met zijn voeten op de grond en sloeg wild met zijn armen in het rond. 'Ik zal je krijgen!' Woest rende hij terug naar de winkel. Waar was het jongetje heengegaan? Hij leek niet ouder dan acht. Die zou het nooit overleven op een piratenschip.
Tom rende achter hem aan. Bij de deur drukte Nick direct de klink in en vloog met Tom naar binnen. Achter in de winkel keek Lula op. Hijgend bleven ze staan.
'Hé, hallo,' zei Lula kalm. Ze streelde de roze parel van haar ketting en keek de kinderen vriendelijk aan. 'Wat leuk dat jullie me komen opzoeken.'
'Waarom doe je dit?' gilde Nick.
'Wat?' vroeg ze onschuldig.
'Heb je nu nog niet genoeg!'
'Niet zo schreeuwen, Nick,' zei Lula. Ze verzette wat spulletjes in een kast. 'Sam vond het heel leuk en spannend om naar een andere tijd te gaan. Net als jullie.'
'Hij vond het helemaal niet leuk. Hij was doodsbang,' riep Nick.
'Ach, in het begin even omdat het nieuw is. Jullie waren in het begin toch ook bang?' Ze liep naar de jongens toe. 'Zo, Tom,' zei ze. 'Jou heb ik lang niet gezien.'
'Gelukkig maar,' zei Tom nijdig. 'Het liefste zou ik je ook nooit meer willen zien.'

‘Wat doen jullie dan hier?’
‘Je praat eroverheen,’ schreeuwde Nick. ‘Misschien komt Sam helemaal niet meer terug.’
‘Jullie zijn toch ook teruggekomen.’ Ze glimlachte naar de jongens. ‘En niet alleen jullie. Wat een prachtige schatten hebben jullie voor mij gevonden.’ Ze stak haar hand onder haar jurk en haalde de ketting met de robijn eronder tevoorschijn. Ze drukte er een vluchtige kus op. ‘Ken je hem nog, Nick?’ vroeg ze. Het was de ketting die Nick van de nek van de verborgen man had getrokken.
‘Die is van mij,’ riep Nick. Hij pakte Tom vast en deed een stap naar voren. Boos keek hij haar aan. ‘Alles is van ons. Wij hebben het gevonden. Geef hier!’ Hij stak zijn hand uit.
Glimlachend keek Lula hen aan terwijl ze de ketting weer onder haar kleren verborg. ‘Ik heb toch een mooie ring voor je achtergelaten?’ Ze giechelde. ‘Was dat niet genoeg? En Tom... jij kunt ook wel een ring krijgen, hoor.’
‘Waarom ga je die schatten eigenlijk zelf niet halen,’ riep Tom. ‘Durf je dat soms niet?’
Lula schudde haar hoofd. ‘Tom, toch. Wat moet een mooie vrouw als ik nu op een piratenschip met allemaal woeste mannen.’
‘Veel te gevaarlijk zeker, slappe troela,’ snauwde Tom.
‘Niet zo lelijk, Tom. Kom op jongens. Dankzij mij hebben jullie een mooi avontuur beleefd. Iets meer dankbaarheid mag wel.’
‘We hadden wel dood kunnen gaan!’ riep Nick.
‘Is toch niet gebeurd?’ antwoordde Lula laconiek. ‘Welk jongetje wil nu eens niet een avontuur op een piratenschip meemaken. Zeg nu zelf. Jullie beiden droomden ervan. Nou en Sam ook. Dus ik geef hem die kans.’
‘Wat als Sam nu eens niet meer terugkomt?’ zei Tom.
‘Tja...’ antwoordde Lula. ‘Dat zou wel jammer zijn. Dan ben ik mijn schoenen kwijt. Maar maak je niet ongerust hoor. Ik heb nog genoeg spullen om van te kunnen leven.’
‘Je schoenen kwijt!’ riep Tom. ‘Is dat alles waaraan je kunt denken? Wat dacht je van Sam!’
‘Die is in een omgeving waar hij altijd al eens had willen zijn.’

Nick opende zijn mond, sloot hem, opende hem en sloot hem uiteindelijk weer. Hij wist niet wat hij als eerste wilde zeggen. Daarom bleef het stil.
'Nu we het daar over eens zijn zal ik eerst eens een lekker kopje chocolademelk voor jullie maken. Van al dat geschreeuw word je maar dorstig,' zei Lula.
Ze liep naar de bank en maakte wat plaats vrij. Tom en Nick keken elkaar aan.
'We willen geen chocolademelk,' snauwde Nick. 'Waar zijn de schatten. We willen ze nu hebben.'
Lula giechelde. 'Je denkt toch niet dat ik die aan jullie meegeef?'
'We vertellen alles aan de politie,' zei Tom. 'Dan komen ze hier alles doorzoeken.'
'Laat ze maar komen hoor,' zei Lula. 'Hier is niets te vinden.'
'We vertellen over de achteruitloopschoenen,' riep Nick.
'Welke achteruitloopschoenen?' glimlachte Lula.
Nick kon haar alleen maar ongelovig aanstaren. Ze konden haar

echt helemaal niks maken en het ergste was dat ze niet eens kwaad werd. Wat zij ook riepen. Ze bleef maar met die stomme glimlach om haar mond staan. De enigen die pisnijdig waren, waren zijzelf. Het was een stom idee van hem geweest om hier naartoe te gaan. Als de schatten hier niet lagen konden zij er ook nooit aankomen. Tom leek er hetzelfde over te denken.

'We kunnen naar de politie gaan en melden dat Sam is verdwenen en dat we hem het laatst bij jou hebben gezien,' snauwde Nick. 'Het is niet de eerste keer dat de politie zo'n verhaal hoort.'

'Dat is waar, Nick. Maar zeg eens eerlijk. Zouden ze je nu wel geloven?'

Woedend keek Nick haar aan.

'Weten jullie ouders trouwens wel dat je hier bent?' vroeg Lula. 'Ze zullen niet blij zijn als ze te horen krijgen dat jullie weer zijn weggelopen.'

Nick boog zijn hoofd. Ze had gelijk. Hoe konden zij dit verklaren. Er was niks geen bewijs. Een fantasieverhaal van twee kinderen die uit het park waren weggelopen. Als ze er ooit achter kwamen mocht hij echt nooit meer ergens alleen heen.

'Nou lieverds, ik ben even naar boven voor de chocolademelk,' zei ze. 'Ik zal er een dot lekker verse slagroom op maken. Maak het jezelf maar gemakkelijk op de bank dan kunnen we nog eens even praten over jullie schatten. Wie weet kunnen we toch nog wat regelen nu ik binnenkort weer een nieuwe buit binnenkrijg.' Ze klopte op de bank en liep daarna de trap op naar boven.

'Als je een nieuwe buit krijgt,' riep Nick naar Lula's rug.

Met grote stappen liep hij naar de tafel waar het piratenboek nog lag opengeslagen. Tom kwam naast hem staan.

Nick legde zijn vinger op de bladzijde bij de naam van piraat Raga. 'Kijk, hij is naar 1820. Honderd jaar dichterbij dan ik.'

'Dan duurt zijn reis vast korter,' zei Tom.

'Zou hij nog gehoord hebben wat we riepen?' vroeg Nick.

Tom haalde zijn schouders op. 'Ook al heeft hij het gehoord, misschien is hij zo bang dat hij het vergeten is. Of wordt hij al gelijk vastgegrepen en op het schip gezet. Net als jij. Of hij verbergt zich eerst. Net als ik.'

‘Wat moeten we doen?’ vroeg Nick. Hij klapte het boek dicht. ‘Hoe kunnen we hem helpen?’
‘Zonder schoenen kunnen we niet helpen,’ zei Tom somber.
‘En wat doen we met Lula?’
‘Die krijgen we niet kwaad. Het interesseert haar allemaal niks wat we roepen. Ik geloof niet dat de schatten hier opgeslagen liggen dus kunnen we ook niks stelen. Het is zonde van onze tijd geweest.’
‘Maar als we…’ Nick stopte toen er iets tegen de ruit van de winkel aanbonkte.
Ze keken elkaar aan en liepen zo snel en zacht mogelijk naar de deur. Voorzichtig keken ze om een hoekje. Op de grond, onder de etalage, lag Sam te huilen. De schoenen staken recht vooruit.
‘De schoenen,’ siste Nick. ‘Dat is het! We stelen haar schoenen!’
Snel keek hij achterom. Ze was nog niet terug. Zachtjes sloot hij de deur achter hen.
Hij rende naar Sam en knielde naast hem, Tom aan de andere kant.
‘Stil maar,’ zei Nick tegen Sam. ‘Je bent weer terug.’
‘Ik was zo bang,’ huilde Sam. ‘Ik dacht dat Lula een geintje maakte met die schoenen.’
‘Dat dachten wij ook,’ gromde Tom. ‘Maar we zullen ervoor zorgen dat het nooit meer kan gebeuren.’ Hij trok de schoen van Sams voet. Nick de andere.
‘Snel,’ siste hij. ‘We moeten weg voor ze erachter komt!’

'Ik heb gelijk gedaan wat jullie zeiden,' snikte Sam.
'Sorry, Sam, we moeten weg.' Nick kwam overeind met de schoen stevig tegen zijn lijf aangedrukt.
'Er waren allemaal grote lelijke piraten in de haven en er kwam er al een op mij af,' ging Sam verder.
'Sam, jij moet ook gaan,' siste Tom. Hij toetste intussen het nummer van de taxicentrale in en bestelde een taxi terwijl ze bij het winkeltje vandaan liepen.
'M...maar...' stotterde Sam. 'Mijn schoenen staan nog bij Lula.'
'Taxi komt eraan,' zei Tom. 'Hoek Damstraat met de Vrijheidslaan.' Nick en hij begonnen te rennen naar het eind van de straat.
'Luister, Sam,' riep Nick over zijn schouder. 'We moeten de schoenen hier weg krijgen. Snap je dat?'
Sam knikte.
'Ga naar huis,' riep Tom. 'Kom nooit meer in het winkeltje. Maar als je haar ooit nog eens tegenkomt zeg dan maar dat wij de schoenen hebben weggegooid. En wij zullen nooit vertellen waar!'
'Maar...' jammerde Sam.
Ze renden naar de Vrijheidslaan. Toen ze bij de kruising waren, kwam de taxi net aanrijden. De chauffeur die hen heen had gebracht, stopte naast de jongens. 'Snel hè,' grijnsde hij. 'Ik wist dat jullie niet lang zouden wegblijven en omdat het zo stil is heb ik om de hoek staan wachten.'
Nick dook de auto in. Tom sprong achter hem.
'Rijden maar!' Hij trok de deur met een klap achter zich dicht.
'Is dat alles?' vroeg de chauffeur. Hij wees naar schoenen die de jongens voor zich hielden. 'Daar win je nooit de eerste prijs mee. Zulke schoenen droegen de piraten niet eens.'
Nick trok een gezicht naar Tom. Alsof zij dat niet wisten! Maar Tom keek geschrokken langs hem heen. Nick draaide zich om keek de Damstraat in. Voor het winkeltje stond Lula. Ze stak haar handen in de lucht en sloeg ze vervolgens voor haar gezicht toen ze Sam voor de etalage zag staan.
'Rijden,' riepen Nick en Tom tegelijk.
'Ja, ja, rustig maar. Ik...'
'Rijden!' schreeuwden Nick en Tom.

Problemen

De taxirit leek veel langer dan de heenrit te duren. Om de paar seconden keken de jongens achterom of ze niet gevolgd werden. Nu Lula wist dat zij de schoenen hadden, zou ze zeker achter hen aankomen. Ze hoefde alleen maar de taxicentrale te bellen om te weten waar ze heen gingen.
'Kan het niet harder?' vroeg Tom voor de zoveelste keer.
Nick zag de glijbanen van het zwembad in de verte voor hen opdoemen. Ze waren er bijna.
'Wat heeft jeugd toch altijd haast,' gromde de taxichauffeur. 'Het pretpark loopt echt niet...' Hij stopte toen er gekraak uit zijn mobilofoon klonk.
'Piet, heb jij een vrachtje bij je?'
De chauffeur drukte een knopje in. 'Heb je een nieuwe rit voor me?'
'Het gaat om deze rit. Heb je twee jongens in je auto?'
De chauffeur keek via het spiegeltje naar Nick en Tom.
Nick schudde zijn hoofd toen hij de blik van de chauffeur opving en greep Tom vast. 'Lula,' fluisterde hij.
'Ja, die zijn bij mij aan boord,' zei Piet.
'Hun moeder wil dat ze onmiddellijk terug naar huis worden gebracht,' antwoordde de mobilofoon.
'Nee,' gilden Tom en Nick tegelijk.
'Moment,' zei Piet in de microfoon. Hij draaide zich half om naar de jongens.
'Wat is dit allemaal?'
'We willen niet terug,' riep Tom. 'We moeten naar het pretpark.'
'Jullie komen alleen maar in grotere problemen als je nu niet terug

naar huis gaat,' zei de chauffeur. 'Dat weet zelfs ik nog wel van vroeger.'
'Nee, we moeten naar het park,' riep Tom. 'Alstublieft, meneer,' smeekte hij.
Maar Piet zette zijn richtingaanwijzer al uit om bij de eerst volgende afslag van de weg af te gaan.
'Het is onze moeder helemaal niet,' riep Nick.
'Nee, het is een lelijke heks,' gilde Tom.
'Kom, kom, je kunt best boos zijn maar zoiets zeg je niet over je moeder.'
'Luister nou! Het is onze moeder niet,' riep Nick wanhopig.
'En waarom zegt zij dan van wel?'
Nick en Tom hielden hun lippen op elkaar. Wat moesten ze hier nu op antwoorden.
'We gaan terug jongens,' zei Piet. 'Ik heb geen zin in problemen.'
'Die krijg je als je nu teruggaat,' riep Nick. 'En wij ook. Alstublieft meneer. Zet ons af in het park.'
'Onze ouders zitten in het park,' riep Tom. 'We wonen hier helemaal niet. We kunnen ze laten zien als u buiten blijft wachten.'
'Ze weten alleen niet dat wij het park uit zijn geglipt,' zei Nick. 'Als ze daarachter komen, zitten wij diep in de problemen.'
Piet keek van de een naar de ander. 'Dus jullie ouders zitten in het pretpark,' zei hij.
Tom en Nick knikten.
'Wat moesten jullie dan buiten het park?'
Nick kneep in de achteruitloopschoen. 'Dat is een geheim,' zei hij zacht.
'En geheimen moeten geheim blijven?'
'Ja,' zeiden Nick en Tom tegelijk.
De chauffeur glimlachte. 'Hebben die oude schoenen er soms iets mee te maken?'
Nick hield zijn schoen omhoog. 'Die hebben we gevonden. Ze waren weggegooid. Kijk maar er zit een gat in.' Hij prikte met zijn vinger in het gat.
Piet zette de richtingaanwijzer weer uit. 'Weet je,' zei hij. 'Ik ben ook

tien geweest en jongens van tien doen nu eenmaal af en toe iets waar volwassenen niets vanaf hoeven te weten. Hoewel ik er nog niet veel van begrijp, hoop ik dat jullie weten wat je doet.' Hij pakte de microfoon weer op en drukte het knopje in.
'Hun echte moeder kan ze in het pretpark vinden,' zei hij tegen de centrale. 'Daar heb ik ze al afgezet.'

Zodra de taxi stilstond sprongen Tom en Nick eruit. Nick betaalde veel meer dan de rit had gekost maar hij was zo blij dat Piet hen uiteindelijk toch geloofd had. 'Bedankt,' zei hij. 'U zult hier echt geen problemen door krijgen.'
'Doe voorzichtig,' zei Piet. 'En geen stiekeme ritjes meer. Beloofd?'
'Beloofd,' riepen Nick en Tom. Toen renden ze naar de ingang. Ze lieten de stempel op hun handen zien en mochten door naar binnen.
'Wat denk je? Komt Lula hierheen?' vroeg Tom. Hij hield de schoen met twee handen tegen zich aangedrukt.
'Ik denk dat ze al onderweg is. We moeten de schoenen nu meteen verstoppen. Ze mag ze nooit meer krijgen.'
'Waar?' vroeg Tom.
'We splitsen ons,' zei Nick. 'Voor het geval ze al snel hier is. Ieder verstopt zijn eigen schoen. Het is beter als die schoenen nooit meer bij elkaar komen.'
Tom zweeg.
'Wat is er?' vroeg Nick.
'Toch is het wel heel bijzonder wat wij meegemaakt hebben,' mompelde Tom. 'Ik bedoel, wie is er nu in een andere tijd geweest.'
'Ja...' Nick streelde de schoen. 'Het was wel gaaf, ' antwoordde hij. 'Maar dat zeg ik nu ik weer in het heden sta. Het was ook gevaarlijk.'
Tom knikte. 'Weet je. Ik haat deze schoenen maar tegelijkertijd houd ik ook een beetje van ze. Stom hè?'
'Nee, hoor,' antwoordde Nick. 'Ik voel hetzelfde. Ze hebben ons een mooi avontuur gegeven en ook weer teruggebracht. Maar ze blijven gevaarlijk. Daarom moeten we ze nu echt gaan verstoppen. Als Lula ze weer krijgt...'

'Je hebt gelijk.' Tom rende bij hem weg. 'Tot straks,' riep hij. 'Zorg dat Lula je niet vindt!'
Nick schoot het linkerpad op. Hij rende langs de mensen. Het was waar wat Tom zei over de schoenen. Aan ene kant haatte hij ze maar aan de andere kant hield hij ook wel een beetje van ze. Ze waren uiteindelijk het deel geweest dat het verleden en heden had verbonden.
Aan het eind van het pad bleef hij hijgend stilstaan en hield de schoen voor zich. Zijn bewijs dat hij niet gelogen had. Eigenlijk was het wel een mooie herinnering. Hij schudde de gedachte uit zijn hoofd. Veel te gevaarlijk. En met één schoen kon hij niet terug naar het verleden. Dus ook geen bewijs. Hij keek om zich heen. Waar kon hij hem het beste verstoppen? Moest hij hem in de sloot gooien? Een kuil in de grond graven alsof het een echte schatkist was? Hij wist het niet. Wat zou Tom doen?
Nick staarde naar een prullenbak. Dat was het! Een prullenbak werd elke dag geleegd. De schoen zou verdwijnen en nooit meer teruggevonden worden. Snel liep hij er naartoe. Er liep een gezin langs. Voor de rest was het stil in dit gedeelte. Hij wachtte tot ze ver weg waren en hij helemaal alleen was. Hij duwde de klep open en tuurde naar binnen. Het zag er leeg uit. Hij stak zijn hand naar binnen en graaide over de bodem. Een klodder mayonaise kleefde aan zijn vingers. Bijna leeg dan. Het belangrijkste was dat de schoen niet zichtbaar zou zijn. Er kon nog genoeg rommel bovenop. Voor de laatste keer keek hij naar de schoen.
'Goede reis,' mompelde hij. Het volgende moment kwam de schoen met een plof op de bodem van de prullenbak.
Het was voorbij. Lula was de schoenen kwijt. Er kon nooit meer iemand naar het verleden. Zijn voeten sloften over de grond toen hij naar het restaurant liep. Hij moest opgelucht zijn maar zo voelde het helemaal niet. Hij kwam tegelijkertijd met Tom aan. Die keek ook al somber.
'Gelukt?' vroeg Nick.
Tom knikte. 'Het lijkt me het beste als we elkaar niet vertellen waar we hem verstopt hebben,' zei hij.

'Mijn idee,' antwoordde Nick. 'Dan kunnen we het ook niet verraden van elkaar als Lula ons ooit vindt. Heb je haar nog gezien?'
'Nee.'
Nick opende de deur van het restaurant.
'Ha, daar zijn onze jongens,' riep Nicks vader. Hij keek naar de klok. 'Precies op tijd!' Ze zaten nog aan hetzelfde tafeltje. De koffie had plaats gemaakt voor een biertje.
'En hebben jullie het naar je zin?' vroeg hij glunderend.
'Ja hoor,' zeiden ze tegelijk.
'Wat hebben jullie allemaal al gedaan?' vroeg Toms vader.
'Oh, van alles,' zei Tom. Hij plofte op een lege stoel.
'Hebben jullie ook al gehoord van het piratenschip?'
Ze knikten.
'En nu komen jullie je spullen zeker halen om je te verkleden als beste piraat,' zei Toms moeder. Ze trok de tas met Toms spullen onder tafel vandaan. 'Wat een toeval dat jullie die mee hebben genomen. Kleed je maar snel aan.'
'We hebben niet zoveel zin,' zei Nick. Hij moest er niet aan denken om het park weer in te gaan. Lula zou er ondertussen ook wel zijn.
'Wat is dat nou?' vroeg Nicks moeder. 'Jullie hebben toch geen ruzie?'
'Nee, natuurlijk niet.'
'Kom op dan. Spullen aantrekken. Volgens de psych...' Ze hield geschrokken haar mond.
'Wat je moeder bedoelt te zeggen is dat je altijd al eens een echte piraat had willen zijn,' nam zijn vader het over. 'Nu heb je de kans.'
Zijn moeder knikte en pakte snel de plastic zak van Nick. Ze plukte de zakdoek ertussen uit en knoopte hem op Nicks hoofd.
Tom grinnikte. 'Is dat alles?' vroeg hij. Hij pakte een zwarte baard uit zijn eigen spullen en bond hem voor. Vervolgens zette hij een hoed op waar zwarte vlechtjes aan vastzaten die over zijn schouders vielen. Hij griste een zwaard van tafel.
'Kom hier, kleineruimtekruiper,' schreeuwde hij naar Nick. Zijn ogen glinsterden ondeugend.
Nick pakte zijn zwaard en hield hem omhoog. 'Lelijke stink-

zwartb...' Hij maakte zijn zin niet af. Over het hoofd van Tom zag hij Lula in de deuropening staan. Het zwaard zakte langzaam naar beneden. Tom keek achterom en sprong daarna direct bij zijn vader op schoot.

'Nou, ja zeg!' riep zijn vader. 'Ben jij nu een echte piraat! Kijk, zo moet je dat doen.' Hij zette Tom naast zich neer en trok het zwaard uit zijn handen.

'Precies! Vechten moeten jullie,' riep Nicks vader. Hij pakte het zwaard van Nick over en hief het omhoog. Het volgende moment tikte het plastic van de zwaarden tegen elkaar aan.

'Hoe ouder hoe gekker,' zuchtte Nicks moeder. Toms moeder schudde haar hoofd.

Nick ging op de plaats van zijn vader zitten. Lula verscheen in en uit het beeld van de voor hem hoppende vaders. Uitdagend keek hij haar aan. Ze kon hen helemaal niks maken. Aarzelend deed ze een stap naar voren. Toen kneep ze haar lippen op elkaar, draaide zich om en liep terug naar buiten.

'Gezien hoe het moet?' vroeg Toms vader. Hijgend viel hij op zijn stoel.

'Jullie zijn er nu helemaal klaar voor,' riep Nicks vader. 'Ga maar gauw.'

'Alleen als jullie meegaan,' riep Tom.

'Nou...' aarzelde Toms vader.

'Ja, pap, gaan jullie ook mee,' smeekte Nick. 'Dan kun je nog eens voordoen hoe het moet.'

Toms vader pakte het ooglapje van tafel en bond hem voor. 'Ahoi kapitein,' riep hij.

Het piratenschip leek totaal niet op het echte schip van Zwartbaard. Het was veel kleiner en er waren niet eens kanonnen aan boord. Tom en Nick hingen over de reling en keken naar het water toen het schip aan de tocht over het meer begon. Hun vaders stonden een stukje verderop te praten met de stuurman.
'Waar zijn mijn schoenen!' Lula dook naast hen op en keek hen woedend aan.
Nick en Tom deinsden naar achter.
'Wij hebben ze niet meer,' antwoordde Nick
'Jullie hebben ze wel,' snauwde ze. 'Sam zei dat jullie ze mee hebben genomen.' Ze greep van allebei een arm vast. 'Zeg op!'
'Ze zijn op een heel goede plaats verstopt,' zei Tom. 'Zodat je niemand meer terug in de tijd kunt sturen. En nu laat je ons los anders roepen we onze vaders.'
Lula keek om zich heen, zag de vaders en liet hun armen toen grommend los.
'Misschien kun je beter gaan zoeken in plaats van ons lastig te vallen,' snauwde Nick. 'Maar hoe goed je ook zoekt, je vindt ze nooit!'
'Ik vertel aan de politie dat jullie mijn schoenen hebben gestolen,' siste Lula.
De jongens keken elkaar aan en grijnsden. 'Welke schoenen?' zeiden ze tegelijkertijd.

Om vier uur namen de twee families afscheid van elkaar. Ze zwaaiden Tom, zijn zus en ouders uit en Nicks vader bestelde nog iets te drinken in het restaurant.
Nick leunde tevreden achterover in zijn stoel. Het was een leuke dag geweest maar het beste was

dat de schoenen nooit meer in Lula's handen zouden komen. Dat hadden ze toch maar even goed gedaan. Ze hadden haar nog een paar keer in het park zien lopen. Net alsof ze iets zocht. Maar ze durfde zich niet meer in hun buurt te vertonen. Nick glimlachte in zichzelf. De schoenen konden geen kwaad meer doen. Wel jammer dat hij nu helemaal niets tastbaars over had van zijn avontuur. Lula had wel gezegd dat de ring in de etalage van hem was, maar hoe kon hij daar nu bijkomen. Die winkel was dicht en zou binnenkort verkocht worden aan een nieuwe eigenaar.
Zijn vader kwam terug met het drinken.
Nick pakte de cola en schonk zijn glas vol. Hij sloot zijn ogen en dronk het in een teug op. Achter zijn oogleden danste Lula met een schoen in haar handen. Nick zette zijn glas met een klap neer. Had Lula zijn schoen gevonden? Waarom kreeg hij dat beeld? Had hij hem wel in een prullenbak moeten gooien? Eigenlijk was het een wel heel voor de hand liggende plek. Hij kreeg het ineens bloedheet. Ze hadden haar overal in het park zien lopen. En als ze zijn schoen had gevonden zou ze hier elke dag terugkomen om die andere ook te vinden. Wie weet had Tom ook helemaal niet zo'n slimme plek gevonden. Hij gooide het laatste restje van zijn cola in zijn glas.
Onrustig schoof hij over zijn stoel. Hij moest weten of de schoen er nog lag. Anders zou hij vannacht geen oog dichtdoen. En niet alleen vannacht.
'Ja, ja, we gaan,' zei zijn vader. Hij dronk zijn laatste restje koffie op. Nicks moeder stopte de piratenspullen terug in het tasje. Nick pakte het van tafel. Hoe kwam hij nu bij de prullenbak met de schoen erin. Zou Lula nog rondlopen in het park? Nerveus liep hij achter zijn ouders aan naar de uitgang. Het werd al stil in het park. Hij gluurde om zich heen. Geen Lula.
Vlak voor de uitgang bleef hij staan. De zenuwen gierden door zijn lijf. Hij moést weten of de schoen er nog was.
'Kom je?' vroeg zijn moeder.
'Ik moet nog even plassen,' riep hij.
'Hè Nick, had je dat niet eerder kunnen bedenken,' antwoordde zijn vader.

'Ben zo terug,' riep Nick. Hij was al onderweg en rende het pad af. Het tasje met piratenspullen sloeg tegen zijn benen. Aan het eind van het pad bij de prullenbak stopte hij. Hij stak zijn arm erin en graaide in het rond. Hebbes! Ze had deze nog niet gevonden! Aan een veter trok hij de schoen eruit. Hij zat vol ketchup, frietjes en mayonaise. Nick schudde de schoen leeg en daarna de inhoud van zijn tasje. De schoen propte hij in de plastic zak, gooide er nog een paar piratenspullen overheen en rende toen snel terug naar de ingang.
Zijn ouders stonden al ongeduldig te wachten.
'We kunnen,' riep hij.

Al een uur tuurde Nick voor zijn computer naar het e-mailscherm. De naam van Tom stond er al in maar hij had nog geen letter getypt. Moest hij hem nu wel of niet vertellen dat hij zijn schoen had teruggepakt. Hij had nog geen spijt dat hij het gedaan had. Toch voelde hij zich rot. Hij had het gedaan zonder dat Tom het wist. Tom had hem vertrouwd en nu deed hij zoiets. Hij keek naar de schoen op zijn schoot.
Was het wel eerlijk wat hij had gedaan? Nick stak zijn vinger in het gat. Hij kon er helemaal niks mee. Op één schoen kon je niet lopen. En als Lula nog in het park zou gaan zoeken, vond ze deze in elk geval nooit meer. Gek zou ze worden. Zijn mond krulde licht op. Hadden ze haar uiteindelijk toch kwaad weten te krijgen. En helemaal als ze maar één schoen vond. Hij schrok toen Tom zich aanmeldde. Nick liet de schoen los en tikte de MSN aan. Het scherm verscheen.
'Ik moet je wat vertellen,' tikte hij in.
'Ik ook,' tikte Tom.
'Maar je moet niet boos worden.'
'Als jij het ook niet wordt,' antwoordde Tom.
Nick fronste zijn wenkbrauwen. 'Jij eerst of ik?' vroeg hij.
'Jij.'
'Ik kan het misschien beter laten zien,' antwoordde Nick. Hij zette de webcam voor en klikte de verbinding aan. Toen het beeld aan-

sprong zag hij dat Tom ook in beeld was. Hij klemde de schoen goed vast en hield hem heel kort voor de camera.
'Ben je boos?' tikte hij snel in.
Het scherm bleef leeg. Tom liep uit beeld weg.
Teleurgesteld viel Nick achterover in zijn stoel. Boos dus. Hij had het kunnen weten. Tom voelde zich verraden. Hij kon het hem niet kwalijk nemen. Hij zou ook boos zijn geweest.
'Ik heb er maar één hoor,' tikte hij snel in.
Tom kwam terug in beeld.
'Weet ik,' tikte Tom.
Nick schudde zijn hoofd. 'Hoe kun je dat nu weten?'
'Eens een piraat altijd een piraat. En daar zijn er maar twee van.'
Tom boog zich grijnzend voorover en het volgende moment verscheen de andere schoen in beeld.
'Zin in een reisje?'